D1220120

La Valse viennoise

Au temps des Strauss

CLAUDE DUFRESNE

La Valse viennoise

Au temps des Strauss

SOLAR

Ouvrage réalisé sous la direction
de Christian Mars

Iconographie
Catherine-Marie Heuls

© 1996, Éditions Solar
ISBN 2-263-02474-3
Code éditeur S02474

SOMMAIRE

Johann Strauss et ses deux frères, Joseph et Eduard.

En l'année 1804, quand vient au monde celui qui sera le véritable père de la valse, Johann Strauss, l'Europe est à la veille de l'ouragan que Napoléon va faire souffler sur elle et qui va bouleverser un ordre établi depuis des siècles. En France, depuis le mois de mai précédent, la rupture de la paix d'Amiens a rallumé la guerre. En attendant, Bonaparte assoit définitivement son pouvoir sur le pays, d'abord en prenant des mesures draconiennes contre l'opposition royaliste : Cadoudal, Pichegru et Moreau, les principaux comploteurs, sont arrêtés (Pichegru sera retrouvé étranglé dans sa prison ; Cadoudal, condamné à mort, sera guillotiné le 25 juin, mais Moreau sera gracié). Enlevé le 15 mars à Ettenheim, où il s'était réfugié, le duc d'Enghien est quant à lui fusillé six jours plus tard dans les fossés de Vincennes.

Le 30 avril, le Sénat et le Corps législatif votent l'établissement de l'empire héréditaire, sur une proposition du Tribunat. Suite logique, le 18 mai, un sénatus-consulte proclame Napoléon Bonaparte empereur des Français sous le nom de Napoléon Ier.

Dès le lendemain, le nouveau souverain nomme dix-huit maréchaux d'Empire, choisis parmi les généraux qui se sont illustrés sous la Révolution. Le 1er décembre, il épouse religieusement Joséphine, et le 2, le pape Pie VII, que l'Empereur a obligé à venir jusqu'à Paris, le couronne à Notre-Dame de Paris.

Hors de France, en Autriche, à la suite des victoires françaises et de la cession à la France de la rive gauche du Rhin, le 10 août, l'empereur François II, jusque-là empereur d'Allemagne, prend le titre d'empereur d'Autriche sous le nom de François Ier. C'est la fin du Saint Empire romain germanique. Un nouveau Premier ministre, le comte Cobenzl, prépare un rapprochement avec l'Angleterre, qui débouche, l'année suivante, sur une coalition contre la France. De son côté, l'Espagne déclare la guerre à l'Angleterre, où William Pitt, qui avait abandonné le pouvoir à la suite des difficultés financières nées du conflit contre la France, redevient Premier ministre et mène de nouveau une politique guerrière jusqu'à sa mort, en 1806. Par ailleurs, l'Angleterre assoit son pouvoir sur les Indes à la suite de la victoire remportée par les rebelles marathes en début d'année. Enfin, en Serbie, alors sous le joug de l'Empire ottoman, un chef de tribu du nom de Karageorges provoque un soulèvement contre le sultan.

1804 : Napoléon couronne Joséphine, par le peintre David.

Un, deux, trois… Un, deux, trois… Elle tourne, elle tourne, la valse, sur un rythme à trois temps, dans un tourbillon qui ne finit jamais. Par-dessus le temps, par-dessus les modes, elle entraîne dans son sillage des millions et des millions de couples. Grâce à elle, à sa complicité bienveillante, la danse cesse d'être figure géométrique pour devenir étreinte, frémissement, plaisir. Pour la première fois, deux inconnus ont le droit de s'enlacer, de joindre leurs mains, de mêler leurs regards, grisés par la musique qui accompagne leurs évolutions. Libérant des effluves de tendresse pour, l'instant d'après, devenir chevauchée endiablée, la valse offre à ses pratiquants une suite d'images contrastées, véritable kaléidoscope sonore, dont la dernière vision s'achève en apothéose des corps.

Oui, en vérité, c'est une véritable libération que la valse a apportée aux danseurs d'autrefois. Comme ils étaient sévères ces menuets, comme ils étaient figés ces quadrilles, qui ne laissaient aucune liberté et n'autorisaient aucune fantaisie ! La valse est arrivée et a tout balayé sur son passage, laissant flotter dans son sillage un parfum de scandale bien agréable.

Ancêtre de la valse, la volte provençale venait d'Italie.

Plate 1   La Volta.   Provence: Marseilles costume

En effet, comme on peut s'en douter, cette révolution dans le domaine de la danse ne va pas sans provoquer chez certains des sursauts d'indignation. Pendant des siècles, la danse a été régie par les règles d'une bienséance rigide qui ne tolérait aucune exception. Et voici que la valse bouleverse les traditions et entend donner du plaisir à ceux qui s'y livrent ! Il y a là de quoi choquer les âmes prudes. Mais les valseurs, eux, se moquent bien des interdits, et rien ne peut plus les arrêter. Sans doute est-ce à cette confusion du plaisir et de la danse que la valse doit l'épithète de « populaire » que certains lui accolent depuis sa naissance, en donnant à ce terme une connotation péjorative : populaire, c'est-à-dire tout juste bonne pour le peuple, donc appartenant à un genre musical inférieur. Heureusement, de grands musiciens – de Beethoven à Wagner – et d'éminents critiques ont fait litière de ce jugement et restitué à la valse ses lettres de noblesse. Johann Strauss père et fils ont démontré par la qualité de leurs œuvres, par l'étendue de leur inspiration qu'une musique « dansée » pouvait prétendre à une place de choix dans le domaine de l'art, tandis que le principe même de la valse donnait naissance à d'authentiques chefs-d'œuvre. Et puis, certaines compositions de Johann Strauss II n'évoquent-elles pas, par la richesse et la diversité de leurs thèmes, par le développement de leurs images sonores, d'authentiques symphonies ? Même si, de nos jours, la valse a quitté le palais impérial de Schönbrunn pour les guinguettes des bords de la Marne, elle n'a égaré en chemin aucune de ses grâces ni de ses séductions. « La musique me prend souvent comme une mer », a écrit Baudelaire ; voilà une définition qui pourrait s'appliquer à la valse.

A quel moment et de quelle manière est apparue cette incitatrice à tourner en rond ? Son acte de naissance n'est pas facile à établir avec certitude. En tout cas, elle est d'origine occidentale, ce qui interdit de la faire remonter aux calendes grecques… Son aïeule est sans doute la volte, danse provençale apparentée à la gaillarde, qui évoluait sur un tempo à trois temps et faisait fureur aux XVIe et XVIIe siècles. Elle devait probablement son succès au fait qu'elle se dansait non plus en groupe, mais par couples, ce qui constituait alors une évolution sans précédent. Le rythme en était assez lent, mais les danseurs devaient se livrer à des figures sautées, presque acrobatiques, qui permettaient toutes les fantaisies et mettaient en joie les pratiquants.

On aimerait bien que la valse trouve dans la volte une ancêtre aussi souriante ; malheureusement, comme c'est souvent le cas dans les recherches de paternité, on n'est sûr de rien. Il se pourrait que la valse, au lieu d'être provençale, ait une origine germanique. Son nom même vient de l'allemand *Walzer*, et, au début du XIXe siècle, l'expression « à l'allemande » devint synonyme de « danse allemande », c'est-à-dire d'un rythme 3/4 ou 3/2, qui se rapproche alors

Les plaisirs de la Redoute, à la Hofburg.

de la valse. Un autre élément plaide en faveur de la parenté germanique : vers la fin du XVIIIe siècle, dans les campagnes d'Autriche et d'Allemagne du Sud, faisait fureur une danse populaire à trois temps dont l'origine et la couleur paysannes apparaissaient nettement – d'où le nom de *Ländler*, de *Land* (« campagne »), qui lui fut accolé à partir de 1800. Les célèbres « danses allemandes » de Mozart et de Haydn sont fortement teintées de ländler. Ce nom de ländler sera d'ailleurs utilisé par Joseph Lanner pour définir ses premières valses, qu'il nommera aussi « allemandes ».

Partie de province, la valse – qui ne porte pas encore cette appellation – va gagner, au tout début du XIXe siècle, les faubourgs de Vienne, interprétée par des orchestres ambulants qui vont de cabarets en cabarets, situés pour la plupart sur les bords du Danube. Un public de plus en plus nombreux, avide de faire la fête, envahit ces établissements dont l'aspect, souvent sordide, ne rebute pas une clientèle bourgeoise – heureuse, semble-t-il, de s'encanailler.

Les revers subis par les armées autrichiennes contre les troupes de Napoléon n'assombrissent pas l'humeur des Viennois. Au point que les guinguettes des faubourgs sont bientôt trop petites pour contenir un public qui se livre avec délice aux joies de cette danse récemment apparue.

De nouvelles salles de bal surgissent du jour au lendemain, drainant vers elles des milliers de danseurs. En février 1809 – si l'on en croit un chroniqueur du temps –, ce ne sont pas moins de cinquante mille personnes qui envahissent le soir les pistes de danse de la capitale de l'Autriche. Vienne comptant alors deux cent mille habitants, c'est donc un quart de sa

population qui passe ses nuits à danser ! Un chiffre éloquent, qui explique le succès des établissements comme le bal du Nouveau Monde, la brasserie Sperl ou encore l'Apollon qui, à lui seul, peut accueillir quatre mille danseurs ! La décoration de l'Apollon affiche un luxe clinquant, inspiré par une Antiquité de pacotille, mais sa clientèle ne songe qu'à s'abandonner à la frénésie de la musique. Ce véritable délire qui s'est emparé des Viennois inspire à l'auteur de *L'Encyclopédie des exercices du corps* ce commentaire réprobateur : « Dès l'entrée dans la salle de danse, l'homme doué du sens du rythme est incommodé par la rapidité excessive de la polonaise et, surtout, de la valse. Ces mouvements désordonnés, ces bonds sauvages proviennent, incontestablement, non du caractère spécifique de la valse, mais du vertige propre aux danseurs. »

Il est vrai que le succès de la nouvelle danse procède alors pour une large part du besoin de s'étourdir qu'éprouvent de nombreux Viennois. L'avenir incertain, les difficultés financières nées de la dévaluation du florin, la menace que la comète napoléonienne fait peser sur le pays, tout cela incite les Autrichiens à essayer d'oublier les réalités de l'heure. Quel meilleur moyen d'y parvenir que de se laisser entraîner par les mouvements de la valse ? Certes, il ne faut pas se montrer trop exigeant sur la qualité des orchestres ou l'originalité des compositions ; la valse ne s'est pas encore départie de cette coloration paysanne qui caractérisait ses premiers pas, elle n'a pas encore renoncé aux flonflons. Mais patience : bientôt apparaîtra le premier des deux maîtres qui assureront à la valse son immortalité.

Naissance d'une Légende

En raison du succès que connaît la nouvelle danse, il apparaît bientôt que le public ne saurait plus se satisfaire des musiques sans originalité qui lui sont offertes, pas plus que des musiciens médiocres qui les interprètent. Ceux-ci, pour la plupart des violoneux de village, ignorent tout des principes de l'harmonie ; ils jouent « d'oreille » les airs que leur a transmis la tradition. Les premières valses ne sont jamais écrites ; à quoi serviraient des partitions que personne ne saurait déchiffrer ? Telle quelle, en attendant d'inspirer d'authentiques créateurs, la musique va son chemin, faisant la fortune des propriétaires de salles de danse. Ayant réussi à capter et fidéliser une clientèle, ces entrepreneurs de plaisirs exercent une sorte de dictature sur les orchestres et leurs chefs, qu'ils font vivre grâce aux cachets qu'ils leur servent. Ces cachets ne sont d'ailleurs pas mirifiques, les directeurs de salles ne brillant pas par leurs largesses. Une exception, toutefois : Sigmund Wolfsohn, le propriétaire du fameux Apollon, engloutira des sommes énormes dans la décoration de son établissement, à l'immense piste de danse, et cherchera à attirer les meilleurs musiciens en les payant fort cher. Mais le pauvre Wolfsohn finira ruiné, ne subsistant que grâce à une rente servie par la municipalité, tandis que ses homologues moins généreux continueront de prospérer. Plus tard, quand Johann Strauss apparaîtra au firmament de la valse, les rôles seront renversés et les propriétaires de salles devront à leur tour se plier aux exigences du compositeur, mais nous n'en sommes pas encore là…

Elle ne paie guère de mine, l'auberge Au Bon Pasteur. Située sur un îlot du Danube, dans le faubourg de Leopoldstadt, elle est tout aussi vétuste que les demeures qui l'entourent et qui doivent dater du Moyen Age. Chaque soir, Au Bon Pasteur accueille une clientèle de mariniers, de pêcheurs et de traîne-savates, dont les rires grossiers et les lourdes plaisanteries – la bière aidant – emplissent la salle d'échos sonores. De temps à autre, un musicien ambulant, raclant sur son violon une mélodie tzigane ou une valse paysanne, vient semer un peu de rêve dans les cœurs de ces êtres frustes.

Le patron de l'auberge, Franz Strauss, disparaît un jour de 1805 dans les eaux tourbillonnantes du Danube. Accident ? suicide ? Nul ne s'en soucie, à commencer par sa veuve qui, quelques mois plus tard, lui a déjà trouvé un remplaçant, un certain Golder. Brave homme que ce Golder : il prend en main les destinées de l'auberge et du petit Johann, un bambin de 2 ans que Franz a laissé en héritage. Quelle éducation peut recevoir un enfant dans un tel milieu, entre des marins ivres et des parents qui tirent le diable par la queue ? Plus tard, parvenu au sommet de la gloire, Johann Strauss laissera échapper parfois une exclamation populaire, à la surprise de ses interlocuteurs – souvenir de sa petite enfance « bohé-mienne ». Nous pouvons imaginer sans mal dans quel climat est élevé le futur roi de la valse ; et pourtant, c'est au sein de cette populace mal embouchée qui fréquente l'auberge Au Bon Pasteur que va naître sa vocation. En écoutant les violoneux de passage, son oreille s'éveille à la musique. Qu'importe que les mélodies qu'entend Johann soient massacrées ! Tout de suite, une complicité enivrante s'établit entre elles et lui. Son jeu préféré consiste à battre la mesure avec une cuiller en bois ou à mimer les gestes du violoniste sur une casserole. Cette passion enfantine lui vaut, pour son cinquième anniversaire, de recevoir un violon des mains de son beau-père. Comment se douterait-il, le père Golder, de la portée de son geste ? Comment pourrait-il prévoir que ce violon, plus proche du jouet que de l'instrument de musique, sera l'instrument du destin ? Et que ce destin fera un jour de l'enfant des faubourgs le roi de Vienne ? En attendant, Johann ne quitte plus son violon, dont il apprend à jouer tout seul. Et ce qu'il joue, bien sûr, c'est ce qu'il entend : ces valses dont les musiciens ambulants gratifient les hôtes de l'auberge.

Cette passion dévorante a des conséquences fâcheuses sur les études du jeune garçon. Elles n'étaient déjà pas brillantes, elles sont désormais déplorables. Et quand il annonce qu'il entend devenir musicien, le père Golder pique une crise de fureur et s'empresse de le placer comme apprenti chez un relieur. Lichtscheild – c'est le nom de son patron – a très vite l'occasion de regretter d'avoir engagé un tel garnement. Impossible d'en tirer quelque chose ! Rien n'y fait : ni les corrections qu'il lui administre ni les séjours fréquents de l'enfant dans la cave. Johann n'a qu'une idée en tête : dès que le sieur Lichtscheild a les yeux tournés, il s'empare de son violon et joue tous les airs qui lui reviennent en mémoire. Le calvaire de Johann ne durera pas plus d'un an ; un jour, à bout de patience, il s'enfuit de la maison du relieur. Il a 13 ans et plein de rêves dans la tête, mais, sur le plan matériel, sa situation n'est pas brillante ; il n'a pas un florin en poche et ne sait ni où dormir ni comment manger. Mais il ne s'en soucie guère : ivre de liberté, il aspire à pleins poumons l'air de la campagne viennoise, tandis qu'il traverse les villages de Döbling et de Grinzing. Il a bien sûr emporté son violon, son inséparable compagnon, et il se dirige vers le mont Chauve, colline située à quelques lieues de Vienne. C'est qu'il y a là-bas un casino : peut-être pourra-t-il se faire embaucher dans l'orchestre comme violoniste ? Il ne doute de rien, le petit Johann, mais la fatigue a raison de ses projets mirobolants : il se laisse tomber dans l'herbe et s'endort… Le dieu qui veille sur les musiciens l'a conduit dans la propriété d'un certain Polischansky, qui connaît fort bien le ménage Golder. Le premier soin de Polischansky, en découvrant l'adolescent endormi, est de le reconduire chez ses parents. C'est le retour de l'enfant prodigue ; le brave

◁ *Vue du Leopoldsberg, 1833. Aquarelle de Rudolf von Alt.*

Un marché populaire à Vienne, au temps de Johann père.

Golder qui a craint qu'il ne se soit noyé dans le Danube, comme son père, lui fait un accueil chaleureux. Du coup, la vocation de Johann est prise au sérieux ; ne convient-il pas de prêter attention aux désirs d'un adolescent qui n'a pas hésité à s'enfuir pour les assouvir ? Alors, finie la reliure, Johann Strauss sera musicien ! Mais pas question qu'il connaisse le sort des « violoneux à bidoche » qui fréquentent Au Bon Pasteur et qu'on surnomme ainsi parce qu'ils jouent toute une soirée en échange d'un plat de viande ! Non, Johann deviendra un vrai musicien. Pour cela, les Golder se serrent un peu plus la ceinture, et le voisin Polischansky, ému lui aussi par la fougue du garçon,

apporte sa contribution ; si bien que Johann peut enfin prendre des leçons chez un excellent professeur. Ses progrès sont stupéfiants ; bientôt, il donne de véritables petits récitals dans la salle de l'auberge, pour la plus grande fierté de ses parents et la joie de la clientèle, qui l'applaudit bruyamment. Mieux encore, le jeune garçon, à peine âgé de 15 ans, trouve un engagement : non pas dans un établissement minable, comme il y en a tant sur les bords du Danube, mais dans un véritable orchestre, celui du redoutable et fantasque Micaël Pamer.

Voici donc Johann Strauss qui entame une ascension vers la gloire, ascension qui ne s'arrêtera qu'avec son existence.

Curieux bonhomme que ce Pamer ! Lorsque, en 1819, Johann Strauss intègre sa formation en qualité de violon alto, Pamer s'est déjà taillé une certaine réputation dans la « gentry » viennoise. Pourtant, le personnage a tout ce qu'il faut… pour rebuter le public : porté sur la boisson, il lui arrive de diriger dans un état d'ébriété si avancé qu'il a bien du mal à grimper sur son estrade et à y demeurer debout. Ce goût exagéré pour la « dive bouteille » agit évidemment sur son comportement ; fréquemment, tout en dirigeant son orchestre, Pamer invective à la fois ses musiciens… et les danseurs. Maix ceux-ci ne lui en tiennent pas rigueur ; au contraire, on dirait que ces bourgeois viennois, habitués à régner en maîtres sur leurs familles et sur leur personnel, éprouvent une sorte de volupté à se faire maltraiter par le musicien. Quant aux membres de l'orchestre, ils sont bien obligés de subir les humeurs de leur chef, car, sans lui, ils mourraient de faim. Par ailleurs, Pamer se produit dans un établissement de réputation plus que médiocre, La Poire d'or, que fréquentent individus douteux et clientèle huppée. Comble du mauvais goût, le clou de la soirée est une valse que Pamer a composée et à laquelle il a donné un titre qui rend hommage à son penchant pour l'alcool : *La Bonne Bière d'autrefois*. Afin de démontrer que la bière d'aujourd'hui n'a rien à envier à celle d'hier, Pamer engloutit, après chaque exécution, un verre de bière monumental. Cette pratique plonge le public dans un climat d'hystérie, si bien que l'orchestre doit reprendre la valse une dizaine de fois, parfois davantage… On imagine dans quel état se trouve Pamer à l'issue de la soirée… Et pourtant, une foule de plus en plus nombreuse se presse chaque nuit dans la salle de La Poire d'or, attirée par le magnétisme de Pamer. Car cet ivrogne, qui insulte la clientèle, qui frappe parfois ses musiciens, est habité par une sorte de génie ; sous son archet, la valse bondit en torrents tumultueux pour, l'instant d'après, se faire mélodie caressante. A peine Pamer a-t-il donné à ses musiciens le signal du départ qu'une véritable frénésie s'empare de lui et l'occupe jusqu'à la fin du morceau. Peut-être puise-t-il dans l'alcool la fièvre qui l'anime… En tout cas, c'est à lui que la valse doit d'avoir pénétré jusqu'au cœur de Vienne.

Tout en s'efforçant de suivre, sur son alto, la course folle dans laquelle l'entraîne son chef, Johann observe avec soin sa technique. Avec une sûreté de jugement étonnante chez un garçon de son âge, il fait la part de ce qu'il y a de remarquable et d'outrancier dans les improvisations de Pamer… Dans une certaine mesure, le jeu de Pamer, plein de fougue et d'audace, inspirera le futur roi de la valse. C'est parce qu'il sent qu'il a beaucoup à apprendre que le jeune homme supporte les crises de nerfs de son chef et même les coups de pied au derrière que ce dernier lui distribue – trop souvent à son gré, à la fois pour son séant et pour son orgueil. Car, déjà, Johann manifeste cet esprit de décision, cette susceptibilité à fleur de peau qui le caractériseront. Son aspect physique conforte encore l'impression de virilité qui se dégage

Pour célébrer son goût – un peu trop vif – de la bière, Pamer lui consacra une valse.

de lui : avec ses yeux noirs, où brillent les reflets d'une volonté farouche, sa chevelure de jais qui retombe en boucles sur son front et son teint mat, on le prendrait plus volontiers pour un Tzigane que pour un Autrichien. Cette beauté ténébreuse n'est pas sans attirer les regards féminins, auxquels, comme nous le verrons bientôt, il est loin d'être insensible. Son goût prononcé pour le beau sexe sera pour Johann la source de sérieux ennuis, mais, pour l'heure, ce qui occupe ses pensées, c'est avant tout la musique. Or, la valse, cette danse qui maintenant fait fureur, est en pleine mutation. Les bateaux qui remontent le Danube amènent jusqu'à Vienne des orchestres tziganes qui, eux aussi, enrichissent la valse de sonorités et de rythmes nouveaux. Pamer s'inspire parfois des innovations de ces musiciens, chez qui la sensibilité compense l'absence de culture musicale. C'est ainsi qu'il accélère le temps primitif de la valse ou encore propose aux danseurs de nouveaux pas. Les dernières barrières que dressait la pudeur bourgeoise sont tombées : à présent, c'est résolument enlacés que les couples viennois dansent la valse, et cette intimité des corps est un facteur de succès supplémentaire. Johann Strauss saura s'en souvenir lorsque lui-même dirigera son propre orchestre.

Cependant, Strauss n'est pas le seul musicien à tirer profit des trouvailles de Pamer ; il y a également dans l'orchestre un jeune violoniste, de trois ans l'aîné de Johann, qui se sent pousser les ailes de l'ambition. Autant sa chevelure, ses yeux, la couleur de sa peau donnent à Johann l'aspect d'un bohémien, autant les cheveux blonds, le regard bleu, la peau claire de Joseph Lanner lui confèrent un type germanique classique. Les contrastes s'attirent, c'est bien connu ; tout de suite, une vive amitié naît entre les deux jeunes gens, et le hasard, qui fait bien les choses, leur donne en partage le même pupitre, ce qui leur permet d'unir leurs facéties sous l'œil furieux de Pamer. Joseph Lanner est le fils d'un gantier de Saint-Ulrich, et, contrairement à Johann, il a connu une jeunesse douillette au sein d'une famille aisée. Mais lui aussi a été saisi par le démon de la musique, et il a tout envoyé promener pour s'y consacrer : sa famille, la boutique du gantier, l'avenir sans problèmes qui lui était promis. Une telle initiative est plutôt rare chez un garçon… de 12 ans, car c'est à cet âge que Joseph Lanner a décidé de suivre sa vocation. Il va bientôt mettre ses dons au service de la valse et l'enrichir d'une inspiration sans cesse en mouvement.

L'année 1819 marque un tournant dans l'histoire de la valse, à commencer par cette grande nouvelle que Micaël Pamer apporte un beau jour : finis La Poire d'or, ses relents de cuisine et sa clientèle douteuse ! L'orchestre est engagé chez Sperl, l'une des plus célèbres salles de danse de la capitale. Désormais, Pamer et ses musiciens ne sont plus des vagabonds mais des artistes reconnus. Pourtant, malgré cette promotion inespérée, Lanner va quitter la formation.

Pamer, ayant copieusement arrosé l'engagement de son orchestre au Sperl, s'est mis à injurier Joseph, mais celui-ci ne s'est pas laissé faire ; une bagarre a éclaté entre les deux hommes, ce qui a valu un œil poché à l'irascible chef d'orchestre. Pour une fois, la musique n'a pas adouci les mœurs !

Après cet esclandre, plus question évidemment pour Lanner de travailler avec Pamer ; il est tout heureux de recouvrer sa liberté et de ne plus se trouver à la merci des humeurs d'un ivrogne. Seule ombre au tableau : il n'a pas un sou, ayant l'habitude de dépenser l'argent qu'il gagne à mesure qu'il entre dans sa poche.

Josef Lanner précède Johann Strauss père dans la voie du succès.

En partant, Lanner emmène avec lui deux des membres de l'orchestre Pamer, lassés eux aussi des colères de leur chef. Les frères Drahanek sont tchèques et excellents musiciens ; avec Lanner, ils vont donc former un trio de qualité. Ce qui leur manque, c'est un lieu pour se faire entendre, aucun établissement ne voulant se risquer à engager trois inconnus, dont le plus âgé n'est même pas majeur ! Lanner ne se décourage pas pour si peu : il se produira… en plein air. C'est ainsi que, quelques jours plus tard, les trois garçons se retrouvent dans une des allées principales du Prater. Le célèbre parc, cher au cœur des Viennois, abrite une multitude de cafés. Nous sommes en été, et les terrasses regorgent d'un public bon enfant, qui se manifeste par des applaudissements nourris. Après chaque morceau, l'un des membres du trio prend une assiette et passe parmi les tables recueillir les fruits du succès, sous forme sonnante et trébuchante. Et voilà que, au bout de quelques semaines, l'orchestre Lanner – si l'on peut déjà lui donner ce titre – va recevoir du renfort : Johann Strauss n'a pas supporté non plus le climat que Pamer faisait régner au Sperl. A 15 ans, il se sent prêt à affronter les péripéties de la vie de bohème et vient proposer le concours de son violon à son ami Lanner. Désormais, le trio est devenu quatuor…

Comme elle est belle, cette vie de bohème, pour les quatre adolescents réunis par un idéal commun, la musique ! Lanner, Strauss et les frères Drahanek brûlent la chandelle par les deux bouts. Le soir, après avoir compté la recette de la journée, ils font en sorte qu'il n'en reste rien le lendemain ! Dans ce domaine, Joseph et Johann se distinguent particulièrement et jettent allègrement l'argent par les fenêtres. Mais leur complicité s'étend à d'autres domaines : ils ont un goût prononcé pour les canulars de toutes sortes, et leur infortunée logeuse en est la principale victime. Ces deux artistes de talent, qui vont apporter à la musique de leur époque de si profonds bouleversements, sont encore des gosses lâchés en liberté, pour lesquels l'existence est une perpétuelle école buissonnière. La fantaisie débridée qui les anime inspire leur comportement en scène, pour la plus grande joie de leurs auditoires. La réputation du quatuor se répand vite à travers Vienne. Ses membres ont cessé d'être des musiciens des rues, et plusieurs cabarets leur ont ouvert leurs portes : La Taverne flamande, Le Cerf rouge et Le Rendez-Vous du Pont suspendu sont les premiers à assister à l'éclosion de ces « petits génies ». Lanner et Strauss s'y abandonnent à leur sens de l'improvisation, se livrent à mille facéties et entraînent le public dans une ronde folle, se mêlant souvent eux-mêmes aux danseurs. Le rythme qu'ils impriment à leur interprétation ne les empêche pas d'enrichir leur danse favorite de sonorités nouvelles. Sous leur impulsion, la valse va bientôt concilier musique savante et sensibilité populaire.

Joseph Lanner ne se contente plus, à présent, de jouer à sa manière les airs qu'il a entendus, apportés par des orchestres tziganes ou hérités de la tradition orale ; il écrit lui-même des partitions qui ouvrent à la valse des horizons nouveaux. Johann Strauss suit la même voie. Déjà, il lui arrive de se substituer à Lanner pour diriger leur petit ensemble, lui qui n'a jamais pris de cours de direction, mais dont le sens inné de la musique pallie l'absence de connaissances techniques.

Cette sorte d'osmose entre les deux jeunes gens se prolonge dans les épisodes de la vie quotidienne. Ainsi, pour diminuer les frais, ils partagent une petite chambre sous les combles. La bâtisse où ils logent, dans la vieille ville, menace de s'écrouler à chaque instant, mais ils ne s'en soucient guère, pas plus que de leurs dettes qui s'accumulent. Parfois, un créancier vient réclamer son dû ; si c'est à Joseph qu'il en veut, celui-ci disparaît prestement sous le lit, tandis que Johann affirme à l'importun que son ami a déménagé sans laisser d'adresse ; si c'est Johann qu'on poursuit, Joseph se livre à semblable comédie. Bientôt, outre la même chambre, c'est la même chemise que les deux jeunes gens partagent, car ils n'en ont plus qu'une, qu'ils revêtent à tour de rôle – celui qui en est privé devant boutonner sa redingote jusqu'au cou pour pouvoir sortir !

Heureusement, cette période de vaches maigres va prendre fin avec les premiers succès. Le congrès de Vienne a amené dans la capitale de l'empire une foule d'étrangers de haut rang, qui, chaque nuit, se livrent aux joies de la valse. Engagé au Coq flamboyant, fréquenté par un public de choix, Lanner a dû agrandir son orchestre ; il est maintenant à la tête d'une formation de douze musiciens, dont Johann Strauss est évidemment le premier violon. Pour assurer son succès, Lanner a compris qu'il devait rompre avec les valses ronronnantes qui, jusque-là, ont constitué le menu habituel des salles de bal – une rengaine à trois temps, avec des mesures toujours semblables, une première note accentuée et les deux suivantes affaiblies... Lanner veut écrire une musique qui reflète les images du plaisir : le vin, les filles, la verte forêt viennoise, le ciel bleu... Tout cela sur un fond d'harmonie populaire, aux accents sentimentaux.

A peine Lanner a-t-il livré au public ses premières compositions que les éditeurs se les arrachent, en réclamant sans cesse de nouvelles. Ses premières valses sont éditées par Diabelli, lui-même compositeur assez médiocre. Mais bientôt c'est à Haslinger, l'éditeur de Beethoven et de Schubert, que Lanner confie sa production, pour la seule raison qu'il paie beaucoup mieux que Diabelli. Le jeune musicien n'arrive plus à répondre à la demande tant il est sollicité. Heureusement, son imagination est aussi fertile que son talent, et, affirme-t-il, « Dieu lui-même l'inspire ». Pourtant, un matin, le Seigneur se fait tirer l'oreille, et l'inspiration refuse de visiter le jeune homme. Or, il a promis à son public une valse nouvelle ; il demande donc son aide à Johann. Jusque-là, Strauss n'a été qu'un simple exécutant, mais dans sa tête bouillonnent une foule d'idées qui ne demandent qu'à exploser. Ce même soir, pour la première fois, le public écoute donc une œuvre du futur roi de la valse et lui fait un accueil chaleureux. Johann est ravi ; pourtant, sa joie est tempérée par le fait que la valse, « sa » valse, a été annoncée comme étant de Lanner. Le même incident se reproduit à plusieurs reprises dans les mois qui suivent. Débordé, Lanner sollicite fréquemment l'aide de Strauss, une aide qui demeure anonyme, ce qui agace de plus en plus Johann. D'autant que les styles des deux hommes ne sauraient être confondus ; alors que Lanner, nous l'avons vu, joue sur la corde sensible, pratiquant l'art de la « tierce en sanglot », Strauss, plus impétueux, plus sensuel, possède le secret de l'attaque brusque, du rythme impérieux.

Entre les deux garçons s'installe donc un malaise qui va déboucher sur une véritable crise. A l'automne 1825 – l'orchestre Lanner est à présent une grande formation que les établissements les plus réputés se disputent –, Johann Strauss, en proie au désir de plus en plus pressant de voler de ses propres ailes, annonce à son ami son intention de le quitter. Lanner accepte mal ce projet et fait traîner son accord

Lanner et Strauss : ces deux complices faisaient valser Vienne au rythme de leur inspiration.

durant plusieurs semaines. Enfin, il s'y résout et l'apprend à Strauss. Ce soir-là, précisément, l'orchestre se produit au Coq flamboyant. Vers deux heures du matin, Lanner prend la parole et annonce le départ de son compagnon. Est-ce parce que ce départ lui cause une vive déception, toujours est-il que Lanner a trop forcé sur la bouteille. Son discours, commencé sur le mode amical, tourne vite à l'aigre, devient peu à peu agressif, puis franchement grossier. C'est plus que n'en peut supporter Johann ; une bagarre éclate entre les deux jeunes gens, à laquelle prennent part les autres membres de l'orchestre. Bientôt, la mêlée devient générale, pour la plus grande joie des danseurs, qui semblent goûter cette attraction inattendue. A la suite de cet esclandre, la séparation entre Joseph et Johann est consommée, mais chacun, dans le secret de son cœur, regrette l'incident. Celui-ci va d'ailleurs inspirer à Lanner l'une de ses valses les plus célèbres, *La Valse de la séparation.*

Voici donc Johann Strauss face à son destin ; désormais, il va pouvoir montrer à tous de quoi il est capable. Plusieurs des musiciens de Lanner l'ont suivi et vont constituer l'embryon de ce qui sera le plus célèbre orchestre de valses d'Europe. C'est au Coq flamboyant qu'ils se produisent, là même où la bagarre a eu lieu, ce qui prouve que le propriétaire de l'endroit n'est pas rancunier. Et il y a une bonne raison à cela ! Johann va épouser sa fille, mariage dont l'imminence est rendue nécessaire par l'approche d'un heureux événement. Ce mariage est d'ailleurs une des raisons qui ont poussé Johann à former son propre orchestre. Il a besoin d'argent pour nourrir la petite famille qui s'annonce. Coïncidence curieuse, il y a entre Anna et Johann une étrange correspondance physique : elle est aussi brune, aussi typée que le jeune homme. On murmure qu'elle serait la petite-fille d'un grand d'Espagne qui aurait échoué à Vienne à la suite d'une romanesque aventure amoureuse. L'histoire est jolie, et on aimerait y croire… Malheureusement, la réalité est moins poétique : le grand-papa d'Anna n'était qu'un Tzigane anonyme. Qu'importe ! Johann est fort épris de la dame et, pour elle, il va renoncer à la vie de bohème.

Une danse très prisée des Viennois : Le Grand Galop *de Johann Strauss père.*

Même si elle n'est pas la petite-fille d'un grand d'Espagne, elle est bien jolie, Anna Streim, et l'on peut comprendre que Johann accepte d'un cœur léger les responsabilités qui lui tombent sur la tête… Il a une femme et un fils à faire vivre, et cette nécessité va stimuler l'inspiration du musicien, pour le plus grand enrichissement de son œuvre. Son initiative de quitter Lanner pour se lancer tout seul à l'assaut du succès est certes méritoire, mais l'entreprise n'est pas aisée. L'orchestre de Lanner a acquis une telle popularité à Vienne que vouloir le supplanter tient de la témérité. Difficulté supplémentaire pour Strauss, son orchestre est incomplet – il lui manque notamment un violoncelliste. Il doit donc soumettre ses compositions aux moyens dont il dispose. Heureusement, son instrument de prédilection est le violon, dont il joue en virtuose. Et parce qu'il en tire des sonorités d'une infinie tendresse, parce qu'il atteint avec lui les cimes de son art, le violon demeurera tou-

jours la source de son inspiration, attirant un public toujours croissant. Comme l'écrit un critique de l'époque, « la musique de Strauss imposait sa loi aux pieds des danseurs ». Le violon de Strauss possède un autre pouvoir : celui d'évoquer des images sonores insolites, du torrent aux cris d'animaux ! Dans sa *Valse des pigeons*, par exemple, il suggère avec un étonnant réalisme ces aimables volatiles. Le succès que recueille cette première œuvre n'est qu'une étape sur le chemin de la réussite.

Du jour au lendemain, grâce au style qu'il imprime à ses valses, Johann Strauss devient le compositeur à la mode. Un public chaque jour plus nombreux assiège les salles de bal où il se produit ; les éditeurs, qui sentent le vent, lui réclament sans cesse de nouvelles musiques. Parce qu'il a besoin d'argent – un deuxième fils va bientôt apparaître au foyer conjugal –, il accepte toutes les commandes. Il se produit dans plusieurs cabarets à la fois et n'arrête de jouer que pour composer. Un célèbre critique, Édouard Hanslick, s'inquiète de cette activité boulimique : « Dans la valse, le compositeur est forcé, dès la première note, d'engager toute la plénitude de son inspiration... A peine terminé, le thème disparaît pour laisser la place à un deuxième, à un troisième, et ainsi de suite, jusqu'au moment où les cinq thèmes se sont déroulés. L'inspiration la plus féconde ne saurait résister indéfiniment à une ponction pareille. »

Et pourtant, Strauss fait face aux exigences des uns et des autres, renouvelant chaque jour le même tour de force. L'amour d'Anna, ses conseils l'aident à y parvenir et à se sublimer. Il a compris que sa musique telle qu'elle est, si elle suffit à satisfaire les danseurs, ne peut avoir qu'une existence éphémère, d'où la nécessité de composer sans cesse de nouvelles œuvres. Pour ouvrir à la valse des horizons plus ambitieux, ses connaissances sont insuffisantes. Musicien quasi autodidacte, il a composé jusqu'à présent en se reposant sur les dons que la nature lui a prodigués ; mais s'il veut aller plus loin, il doit coûte que coûte améliorer sa technique. Voici donc que Johann Strauss, la coqueluche des Viennois, le chef d'orchestre le plus apprécié des danseurs, redevient un élève studieux, afin de découvrir tous les secrets de la fugue, du contrepoint, de l'orchestration. Très vite, il recueille les fruits de son assiduité. Comme l'a écrit l'un de ses biographes, « il entreprit de lutter contre la symétrie fastidieuse qui, jusqu'alors, avait dominé la valse. Ce cadre, Strauss allait le faire éclater avec une liberté totale. La mesure à trois temps était certes une loi tyrannique qui exigeait un recommencement éternel, qui imposait aux pieds des danseurs les mêmes pas, mais cette uniformité allait se déguiser sous un travesti de fantaisie. Strauss inséra, avec une audace inouïe, des syncopes empruntées à la grande musique ; il inventa des pizzicati et des arpèges rieurs qui voletaient et rebondissaient comme des oiseaux. C'était là son grand secret : rendre impossible la monotonie, grâce au jaillissement irrésistible des idées musicales... » (1).

Il est vrai que, grâce à Strauss et aux audaces que lui souffle une inspiration toujours plus ambitieuse, la valse ne ressemble plus à ce qu'elle était encore quelques années auparavant. Mais, tout en lui imprimant un caractère plus élevé, le compositeur ne lui ôte jamais ses couleurs populaires. Les titres qu'il donne à ses œuvres procèdent d'ailleurs de ce souci de ne pas s'éloigner de la vie quotidienne. Ainsi, l'auberge du Pont suspendu lui inspire la valse du même nom, ce qui draine aussitôt vers l'établissement en question un public nombreux.

Parallèlement à la carrière de Strauss, celle de Lanner, son grand rival, connaît une ascension similaire. D'ailleurs, peut-on parler de rivalité réelle entre eux ? Depuis leur

bagarre spectaculaire, les deux jeunes musiciens se sont réconciliés. Mais leurs partisans respectifs ont besoin de cette compétition qui stimule leur intérêt. Il y a donc à Vienne deux camps farouchement opposés : entre les straussiens et les lannériens, aucun compromis n'est possible, et la querelle qui les occupe revêt plus d'importance à leurs yeux que la crise politique latente qui obligera bientôt l'empereur à céder la place ! Mais en attendant, le souverain et son Premier ministre, le célèbre Metternich, se réjouissent de cet état d'esprit : tant que les Viennois dansent...

Au début de l'épreuve qui l'oppose à son ancien ami, Lanner semble l'emporter ; l'empereur François l'a nommé directeur des bals de la cour ; c'est à lui que revient l'honneur de faire danser deux fois par mois archiducs et archiduchesses, dans les luxueux salons de Schönbrunn. Malheureusement pour Joseph, cette flatteuse promotion n'a pas éteint son penchant pour l'alcool : il lui arrive de diriger dans un tel état d'ébriété qu'il vacille sur ses jambes et que ses musiciens sont obligés de le soutenir. Un soir, après une valse endiablée, il apostrophe l'archiduchesse Sophie, la mère du futur empereur François-Joseph, et l'invite à venir... tâter sa chemise trempée de sueur, témoignage de la fougue qu'il apporte à mener ses musiciens ! On peut imaginer l'accueil que l'archiduchesse, réputée à la cour pour son humeur acariâtre et son souci de l'étiquette, réserve à la requête de Lanner ! Et celui-ci, par ses écarts de conduite, va perdre peu à peu la faveur de l'empereur.

S'il n'a pas encore eu droit aux honneurs officiels, Johann Strauss, lui, n'en est pas moins devenu le musicien préféré des Viennois. A mesure que brille son étoile, celle de Lanner pâlit. Certes, la musique de Lanner, plus sentimentale, a encore de nombreux fidèles, mais Strauss, outre qu'il peut également, lorsqu'il le désire, composer des valses tendres, possède le secret d'emporter les danseurs dans une ronde folle où s'expriment librement la violence et la sensualité de son tempérament. Jamais Lanner ne pourra forcer sa nature afin de combattre son rival sur le même terrain.

L'année 1830, à Vienne comme à Paris, marque l'éclosion du romantisme dans tous les domaines de l'expression artistique ; la musique, la littérature, la peinture adoptent un langage nouveau qui rompt avec le classicisme des siècles passés et provoque l'enthousiasme de la jeunesse. Strauss, par la couleur de son inspiration, est bien dans la ligne du temps. Pour répondre aux sollicitations multiples dont il est l'objet, il a été obligé de se fabriquer une sorte d'ubiquité, en créant plusieurs orchestres portant le « label » Strauss. Ainsi, ce ne sont pas moins de deux cents musiciens qui, à présent, font entendre ses valses dans plusieurs établissements de la capitale. Quant à Strauss lui-même, il accepte de se produire sur l'estrade du Sperl. Là même où il a débuté, douze ans plus tôt, sous la direction du redoutable Pamer...

(1) H. E. Jacob, *Les Strauss et l'histoire de la valse.*

19

Le succès croissant de Johann Strauss s'explique, certes, par la richesse de son inspiration et l'heureuse mutation qu'il fait subir à la valse, mais d'autres facteurs interviennent aussi. Depuis une vingtaine d'années, une véritable frénésie musicale s'est emparée des Viennois, à quelque classe de la société qu'ils appartiennent. Le virus de la danse frappe toutes les couches de la population ; les étrangers qui arrivent à Vienne subissent aussitôt la contagion et entrent dans le bal. Déjà, quinze ans auparavant, les diplomates venus dans la capitale autrichienne pour assister au congrès de Vienne, gagnés par le climat ambiant, s'étaient davantage préoccupés d'organiser leurs plaisirs nocturnes que de construire une nouvelle Europe. Quand on avait demandé au prince de Ligne, l'un des participants : « Comment va le congrès ? », il avait répondu par une formule éloquente : « Le congrès ne va pas, il danse ! » Depuis cette époque, l'engouement ne s'est pas démenti, et la valse a fait tourner de plus en plus de têtes, non seulement en raison de son rythme, mais surtout parce qu'elle offre à ses pratiquants une intimité qu'aucune danse n'a permise jusque-là.

La valse n'attendait plus qu'un prétendant pour se donner un roi : Johann Strauss serait celui-ci, et c'est dans la salle du Sperl qu'il offre chaque nuit à son peuple, le peuple des danseurs, l'image de sa souveraineté. Mais il ne se produit pas seulement dans l'établissement que dirige le sieur Scherzer ; ses adorateurs exigent que leur idole soit partout à la fois, afin de pouvoir l'entendre, le voir, le toucher... Pour satisfaire leurs désirs, Johann pratique un exercice qui tient de l'acrobatie : son fiacre le conduit d'un bal à l'autre, afin de lui permettre de diriger lui-même, en chaque lieu, telle partie de son répertoire. Puis, la dernière note jouée, fendant à grand-peine le flot de ses admirateurs, il se rue vers la sortie, saute dans sa voiture et gagne une autre salle de bal, où il se livre au même manège. Ce n'est qu'aux premières lueurs de l'aube qu'il regagne enfin son domicile... pour se mettre à composer une nouvelle valse qu'il répète l'après-midi même avec ses musiciens. On peut se demander où ce diable d'homme trouve la force de mener des travaux qui auraient rendu jaloux Hercule lui-même. Sans aucun doute, Strauss est habité par la même frénésie que son public !

Heinrich Laube, chroniqueur d'un journal de Leipzig – *Die elegante Zeitung* –, nous a légué un saisissant témoignage de ce qu'était « la grand-messe straussienne » :

« C'est chose unique que de voir le Napoléon autrichien, et j'eus plaisir à le contempler au centre de son champ de bataille. Il en était à son Austerlitz quand nous arrivâmes ; il pointait son archet vers le ciel, et les violons saluaient le lever du soleil. Tous les yeux étaient tournés vers lui, et ce fut un moment d'adoration. Vous allez me demander : "A quoi ressemble Johann Strauss ?" Si Napoléon avait quelque chose de romain et de classique, si Paganini avait

Pensif, souvent mélancolique, tel apparaît Johann Strauss père dans ses portraits de l'époque.

l'étrangeté et le romantisme d'un clair de lune, le maestro Strauss a quelque chose d'africain... L'homme est noir comme un More ; sa chevelure est bouclée ; la bouche est bien dessinée, énergique, aux lèvres ourlées, le nez est retroussé. S'il n'était pas de race blanche, il pourrait faire un parfait négus d'Éthiopie, un parfait Balthazar. C'est Balthazar qui apporte l'encens qui captive nos sens. C'est la même chose avec Strauss ; il commande aux démons qui nous habitent par le moyen des valses qu'il compose... Le début de chaque valse est tout à fait caractéristique. Strauss prélude d'une façon haletante ; avant que la musique prenne toute sa puissance, il se passe un moment tragique : le cavalier commence à enserrer étroitement sa danseuse, et tous deux s'intègrent à la mesure. Pendant quelques moments, nous entendons ces longues notes de poitrine par lesquelles le rossignol commence son chant et ébranle nos nerfs, puis, brusquement, ce trille prolongé prend fin, la véritable danse entame son tourbillon, et le couple entre dans ce maelström. Les danseurs se fraient un chemin dans leur joyeuse frénésie. Rien ne peut les retenir, pas même ces bouffées de vent brûlant qui viennent d'un bout ou l'autre de la salle, comme de quelque désert africain... Ces fêtes durent jusqu'au petit matin, où les couples s'éparpillent dans la nuit viennoise et disparaissent avec des rires amoureux dans toutes les directions. »

Un autre témoignage nous est fourni par Richard Wagner, qui n'a que 20 ans lorsque, une nuit, il se rend au Sperl et assiste à un concert donné par Strauss :

« Je n'oublierai jamais l'accueil comme hystérique fait par ce curieux peuple à chacune des œuvres de Strauss. Un démon nouveau semble s'emparer de cette populace viennoise dès que commence une nouvelle valse. Il est hors de doute que ces frissons de plaisir qui la secouent viennent de la musique plus que du vin, et j'ai le vertige de voir la frénésie qu'ils ont pour la musique de ce maître magicien. »

Même si l'Allemand Wagner affecte de traiter avec quelque condescendance ces sentimentaux d'Autrichiens, il ne peut se défendre de manifester son admiration. D'ailleurs, presque chaque nuit, il est au Sperl, écoutant sans se lasser les valses qui se succèdent. Même l'épidémie de choléra qui sévit à Vienne ne parvient pas à l'en chasser : s'il se résout soudain à quitter la capitale sans laisser d'adresse, c'est qu'il a toujours consommé à crédit, et que le père Scherzer lui a, un soir, présenté une note dépassant ses économies. Même parvenu au faîte de la célébrité, Wagner sera d'ailleurs coutumier de ce genre de fuite devant ses créanciers.

Mendelssohn ne ménage pas non plus ses compliments, lorsqu'il assiste à une représentation donnée par Strauss. En revanche, Frédéric Chopin, de passage à Vienne et alors complètement inconnu, est beaucoup plus réticent à l'égard de ce style musical ; sans doute l'accueil peu empressé que lui ont réservé les Viennois est-il pour quelque chose dans le jugement qu'il exprime :

« Vraiment, il n'y a pas de public pour la musique sérieuse à Vienne, actuellement. Les gens ont perdu le goût de la grande musique. Les Strauss et les Lanner accaparent tout avec leurs flonflons ! »

Avant de clore ce chapitre, citons justement quelques-uns parmi les plus célèbres de ces « flonflons » qui sont en train d'apporter à Johann Strauss gloire et fortune : *Valse à la Paganini*, *Valse du champagne*, *Est-ce encore Vienne ?*, *Valse du marché*, *Cotillon d'après « La Muette » de Portici*, *Galop hongrois*, *Danse de la ville de Joseph* (1), *Valse de Tivoli*, *Valse de la bayadère*, etc.

Il ne s'agit là que de quelques titres à succès parmi les deux cent cinquante et un morceaux que Strauss a composés. Une œuvre immense que seule surpassera celle de son fils. Mais en attendant le règne de Johann II, Johann Ier est bien alors le roi incontesté de la valse.

(1) En hommage à Joseph II, père de l'empereur Ferdinand et frère de Marie-Antoinette.

Le Sperbauer en 1820. Vue du jardin et du kiosque à musique.

Ludwig van Beethoven (1770-1827)

Beethoven a 17 ans quand il fait un premier séjour à Vienne, en 1787, et y rencontre Mozart (ce dernier, méfiant à l'égard des jeunes prodiges, lui fait un accueil réservé). En 1792, il se fixe définitivement à Vienne : année heureuse, succès professionnels, faveur de l'aristocratie et apparition dans sa vie de la bien-aimée Giulietta Guicciardi. Mais il ressent bientôt les premières atteintes de la surdité, et Giulietta épouse un autre homme. Désespéré, Beethoven songe un moment au suicide. Sa musique seule le rattache à la vie. Son mal fait des progrès, et c'est pratiquement sans les entendre qu'il composera ses fameuses neuf symphonies. Quelques visages de femmes peuplent sa solitude, mais il cache farouchement l'identité de celle à laquelle il dédie la célèbre *Lettre à Élise* (il s'agit vraisemblablement de Joséphine von Brunswick). Les dernières années de sa vie sont solitaires, son caractère emporté éloignant la plupart de ses amis, avec lesquels il ne peut plus communiquer que par écrit dans ce qu'il nomme ses « cahiers de conversations ». Vienne lui fait des funérailles grandioses, et il est accompagné au tombeau par une foule de vingt mille personnes.

Neuvième Symphonie (1824).

Le grand Beethoven lui-même composa des valses.

Un autre compositeur de valses célèbres : Franz Schubert.

Anton Diabelli était meilleur éditeur que musicien.

Autre ancêtre de la valse : l'allemande, dansée ici à Versailles, lors du carnaval de 1763.

Frédéric Chopin (1810-1849)

Valses en mi majeur (1829), *en si majeur* (1829), *en si mineur* (1829) *en ré bémol majeur* (1829).

Anton Diabelli (1781-1858)

Compositeur et éditeur, il dut sa célébrité aux *Trente-Trois Variations* de Beethoven sur sa valse op. 120 (1822-1823). Schubert et Liszt écrivirent également des variations sur ce thème. Diabelli fut par ailleurs l'éditeur de Schubert et, à ses débuts, de Johann Strauss.

Gioacchino Rossini (1792-1868)

Tancrède et *L'Italienne à Alger* (1813). *Le Barbier de Séville* (1816). *Guillaume Tell* (1829).

Franz Schubert (1797-1828)

Symphonie n° 1 en ré majeur (1813). *Symphonie n° 8 en si mineur* (1822), dite « *Inachevée* ». Plusieurs valses (1826-1828).

Carl Maria von Weber (1786-1826)

Invitation à la valse (1819).

Napoléon à la bataille d'Austerlitz, par Horace Vernet.

1805

• *21 octobre.* Victoire navale de l'Angleterre sur la France à Trafalgar. L'amiral Nelson est tué.

• *2 décembre.* Victoire de Napoléon sur l'Autriche et la Russie à Austerlitz.

1806

• *14 octobre.* Victoire de Napoléon sur les Prussiens à Iéna. Quatrième coalition contre la France : Angleterre, Prusse, Russie, Suède.

1807

• *14 juin.* Victoire de Napoléon sur les Russes à Friedland.

• *7 juillet.* Traité de Tilsit entre la France, la Russie et la Prusse. Alliance franco-russe.

1808

• Début de la guerre d'Espagne.

• *4 décembre.* Prise de Madrid par Napoléon.

Austerlitz

Le 2 décembre 1805, la victoire que remporte Napoléon sur les Austro-Russes, à Austerlitz, à 100 kilomètres de Vienne, est l'illustration même de la stratégie militaire de l'Empereur. Cette bataille lui permet de battre des troupes supérieures à la fois en nombre et en armement. Au matin, tandis qu'au centre une armée sous le commandement de Davout contient les Austro-Russes, une autre armée, dirigée par Soult, exécute un mouvement tournant. Pris à revers, l'ennemi cède à la panique. A 16 heures, la victoire de Napoléon est complète. Les Austro-Russes ont perdu près de vingt mille hommes et autant de prisonniers. Deux jours plus tard, lors d'une entrevue avec Napoléon, à quelques kilomètres d'Austerlitz, l'empereur d'Autriche François II sollicite la paix.

1809

- *5 juillet.* Victoire de Napoléon contre les Autrichiens à Wagram. Metternich devient chancelier d'Autriche.
- *14 octobre.* Traité de Vienne avec l'Autriche.
- *14 décembre.* Napoléon répudie Joséphine.

1810

- *1er avril.* Napoléon épouse l'archiduchesse Marie-Louise de Habsbourg-Lorraine.

1811

- *20 mars.* Naissance du roi de Rome, fils de Napoléon.
- Apogée de l'Empire.

1812

- Campagne et retraite de Russie.

1813-1814

- Reflux des armées françaises.
- *6 avril 1814.* Abdication de Napoléon. Louis XVIII devient roi de France. Départ de Napoléon pour l'île d'Elbe.

1815

- *1er mars.* Napoléon débarque en France.
- *18 juin.* Défaite de Napoléon à Waterloo.

1818

- Bernadotte devient roi de Suède.

1820

- *13 février.* Assassinat du duc de Berry, neveu de Louis XVIII.

1821

- *5 mai.* Mort de Napoléon à Sainte-Hélène.

1824

- Mort de Louis XVIII. Avènement de Charles X. Mort de Lord Byron à Missolonghi.

1830

- Charles X est renversé au profit de Louis-Philippe. Début de la conquête de l'Algérie par la France. Naissance du futur empereur d'Autriche François-Joseph.

Au Congrès de Vienne, les participants dansaient tout autant qu'ils palabraient.

Un Nouveau Roi de la Valse

Même si Joseph Lanner continue de connaître des succès flatteurs, la « royauté » de Johann Strauss ne saurait être contestée. Pendant près de vingt années, il va demeurer le maître d'un genre si typiquement viennois qu'il finit par devenir le symbole de la capitale de l'Autriche. Par un étrange coup du sort, la toute-puissance de Johann Strauss ne sera battue en brèche que... par son propre fils.

Nous n'en sommes pas encore là et, puisque nous parlons d'enfants, admirons l'aspect prolifique du roi de la valse, auquel Anna, après Johann et Joseph, donnera quatre autres enfants. Anna en 1829, Thérèse en 1831, Eduard en 1835 et Ferdinand, qui ne vivra que quelques semaines. Quand on connaît le rythme démentiel de son existence, on peut se demander comment Strauss trouva le temps de concevoir cette abondante progéniture. D'autant que tout en donnant cinq enfants à sa femme, presque simultanément, il en faisait cinq autres à sa maîtresse ! Étonnant sens de l'équilibre familial entre le conjugal et l'extra-conjugal !

L'idylle avec Anna n'a pas survécu aux premiers succès, qui lui amènent un flot d'admiratrices enthousiastes. Avec ses airs de beau ténébreux, si éloigné du type viennois habituel, tirant de son violon les sonorités les plus troublantes pour, l'instant d'après, entraîner son auditoire dans une ronde enivrante, comment n'attirerait-il pas à lui bien des cœurs féminins, ce héros de la musique qui n'a pas encore 30 ans ? Et comment résisterait-il à ces jolies créatures dont chaque sourire est une promesse ? D'ailleurs, il n'essaie pas, et la pauvre Anna doit en prendre son parti.

En même temps qu'il s'exprime dans le monde, maintenant qu'il gagne beaucoup d'argent, Johann a pris des goûts de luxe. Le ménage Strauss habite un vaste appartement dans un immeuble cossu et affiche sa réussite avec une certaine ostentation. Mais Johann fuit de plus en plus le foyer conjugal, car il a fait une rencontre qui va bouleverser son existence. Que peut-il bien lui trouver, à cette Émilie Trampusch qui lui a si complètement tourné la tête ? Certes, elle sait mettre en valeur ses formes provocantes, et les regards qu'elle jette aux hommes sont assez significatifs de ses intentions. Mais son vocabulaire, ses manières vulgaires et son esprit borné trahissent ses origines ordinaires. Pour séduire Johann, elle est venue assister plusieurs nuits de suite à ses concerts, et le musicien a très vite remarqué son manège. Presque chaque nuit, il se précipite dans la Kumpfgasse, une ruelle insalubre où Émilie occupe un logement misérable, ce qui ne semble pas gêner le musicien. Émilie lui réclame sans cesse de l'argent, et Johann n'oppose aucune résistance à ses exigences. Peut-être est-ce en raison même de la médiocrité d'Émilie que Johann se sent bien avec elle. Le sentiment qu'il a de sa supériorité sur la jeune femme flatte son orgueil, alors qu'avec Anna, femme sensible et raffinée, il doit sur-veiller son langage et souvent reconnaître le bien-fondé des conseils qu'elle lui donne.

Pendant quelques mois, Strauss va réussir à maintenir un équilibre précaire entre ses deux ménages, mais, lorsque Émilie met au monde un garçon qu'elle prénomme Johann, la coupe déborde. Mis en demeure de choisir, Strauss n'hé-site pas et rejoint Émilie, n'octroyant à Anna qu'une modeste pension alimentaire, avec laquelle elle aura bien du mérite d'élever ses enfants. Quant au musicien, pressé par la néces-sité de gagner sans cesse plus d'argent pour satisfaire les pré-tentions d'Émilie, il cherche de nouveaux succès et de nouvelles ressources avec une tournée en Allemagne. En novembre 1834, le voici à Berlin, où le public, à l'instar des Viennois, l'acclame chaleureusement. Le tzar de Russie Nicolas Iᵉʳ, alors en visite, et le roi de Prusse Frédéric-Guillaume III lui proposent même de donner des concerts suivis à Saint-Pétersbourg et à Berlin, mais Johann refuse, car il lui tarde de rentrer au bercail. Sur le chemin du retour, il se fait entendre à Leipzig, à Dresde et à Prague, où il découvre une nouvelle danse tchèque, la polka. Il en goûte le rythme et le mouvement ; bientôt, il se met à en composer ; c'est ainsi que la polka, jusque-là pratiquée par des garçons et des filles de ferme, fait son entrée aux bals de la cour enthousiaste.

Sur un plan plus intime, ses affaires sont moins brillantes : il lui faut affronter les demandes d'argent d'Émilie, de plus en plus gourmande, et les doléances d'Anna. Pris entre deux feux, Johann va trouver quelque répit... dans la fuite. Il repart pour une nouvelle tournée dans les plus grandes villes d'Allemagne. Si, dans le sud du pays, le roi de la valse est reçu comme un véritable souverain, il n'en va pas de même dans le nord, habité par une population puritaine : faire dan-ser une femme et un homme enlacés dans une même étrein-te est toujours considéré comme contraire à la morale, obscène et non hygiénique ! Un médecin de Hambourg, qui ne craint pas le ridicule, écrit même un traité dont le titre est tout un programme : *La Preuve que la valse est la principale cause de la faiblesse de corps et d'esprit de notre génération*.

A Magdebourg, les protestants dévots vont encore plus loin en obtenant de la police un édit condamnant « cette indécente et abominable façon des hommes de faire tourner les femmes, surtout quand elle a pour résultat de faire voler les robes en dévoilant ce qui devait rester caché ». Mais le plaisir de la valse est plus fort que les préjugés des bigots, et l'orchestre de Strauss finit par emporter les réticences dans son tourbillon. Comme l'écrit un journal de Hambourg : « Vienne n'est pas seulement dans Vienne. Elle est partout où est Strauss. » Devenu l'ambassadeur officieux de sa ville natale, Strauss va pourtant la quitter pour entreprendre la plus périlleuse de ses missions : conquérir la capitale des arts et de l'esprit, conquérir Paris...

◁ *Vienne vue des jardins du palais Schwarzenberg. Aquarelle de Jakob Alt.*

Le Gymnase-Dramatique voit les débuts de Johann Strauss à Paris.

Le départ de l'orchestre donne lieu à de véritables scènes d'hystérie ; les femmes, affligées par l'éloignement de leur idole, inondent la voiture de Johann de bouquets de fleurs, mais aussi… de leurs mouchoirs trempés de larmes !

Comment ces Parisiens frivoles et exigeants, repus de plaisirs, vont-ils accueillir la valse, que Johann apporte dans ses bagages ? C'est la question qui hante le musicien, ce 1er novembre 1857, quand il monte sur l'estrade du Gymnase-Dramatique où il se produit pour son premier concert. Dans la salle, plusieurs musiciens célèbres ont pris place, ce qui porte à son comble la fébrilité de Strauss. Celui dont il appréhende le plus le jugement est Hector Berlioz. Mais, dès le lendemain, en lisant la chronique de l'illustre musicien dans *Le Journal des débats*, Johann est rassuré. Après avoir avoué qu'il a été charmé par la façon dont Strauss met en exergue les bois et les instruments à vent, et par les sonorités brillantes qu'il tire de sa formation, Berlioz ajoute : « Les musiciens de Strauss sont bien plus habiles à vaincre les difficultés du changement de rythme que nos artistes. Les valses qu'il nous présente, et dont les mesures s'affolent et se précipitent sous leur propre élan, sont difficiles à jouer. Les Viennois, eux, en viennent facilement à bout. C'est grâce à cette maîtrise que la coquetterie du rythme prend tout son charme. » Analyse pertinente qui souligne tout ce que la valse doit à la technique révolutionnaire de Johann Strauss.

En tout cas, dès la fin de ce premier concert, Strauss est comblé. Le public a été ravi par sa manière de diriger ses musiciens, puis de se mêler à eux pour jouer sa partie de violon ; son attitude souvent théâtrale est un véritable spectacle à elle seule ; enfin, il y a cette musique, tantôt langoureuse, tantôt déchaînée, cette valse qui entraîne les Parisiens dans sa ronde comme elle a déjà entraîné les Viennois. Oui, dès le premier soir, Johann a gagné la partie…

Il en a la confirmation quelques jours plus tard, aux Tuileries, où le roi Louis-Philippe le remercie de « l'honneur qu'il lui fait en venant jouer chez lui ». Le souverain des Français honoré par la présence du roi de la valse ! Quelle différence de comportement avec la morgue des Habsbourg ! Johann en est à la fois étonné et ravi. Décidément, ce voyage s'annonce sous les meilleurs auspices pour lui. Comment pourrait-il se douter qu'à Vienne un rival se prépare à lui disputer bientôt son sceptre, un rival qui sera aussi son successeur…

Joyeuse équipée avec Vienne en toile de fond.

Dans son fauteuil, Anna écoute avec ravissement ce gamin qui tire de son violon des sonorités exquises. Elle est d'autant plus fière que ce musicien en herbe, c'est Johann, son fils aîné, qu'elle appelle affectueusement Schani. A 6 ans déjà, s'asseyant au piano, Schani a joué une valse de sa composition, et Anna l'a précieusement recueillie sur une feuille de papier à musique... La première valse écrite par celui dont la gloire va dépasser celle de son père ! Mis au courant des dons précoces de l'enfant, ce père prend fort mal la chose : il ne peut y avoir d'autre musicien dans la famille que lui, que ce soit un fait entendu ! Mais, justement, Anna ne l'entend pas de cette oreille. Musicienne elle-même, elle a décelé chez Schani les signes d'une véritable vocation. Elle lui fait donc donner des leçons en cachette de son père, et l'enfant réalise des progrès réellement surprenants.

Un jour de 1837 – Schani a 12 ans –, lors d'une de ses rares visites au domicile conjugal, Johann surprend son fils un violon dans les mains. Il entre dans une violente colère et interdit à celui-ci d'entreprendre une carrière musicale. On dirait qu'il redoute que la célébrité de Johann II surpasse un jour celle de Johann Ier.

Passant outre à l'interdiction paternelle, Anna continue de pousser son fils aîné dans cette voie ; plus ou moins consciemment, l'épouse délaissée pressent que cet enfant si merveilleusement doué sera l'instrument de sa revanche sur un époux volage. Comment n'y rêverait-elle pas quand elle constate la ressemblance frappante de Schani avec son père ? Non seulement il possède son teint ambré, ses cheveux noirs et bouclés, son élégance, mais la similitude s'étend aussi à sa façon de jouer, à ses gestes spectaculaires et à la musique qu'il compose – une musique qui, comme celle de Johann Ier, marie harmonieusement la fougue et la tendresse. On dirait que Schani a la valse dans le sang, que son père lui a transmis cette passion. Cet héritage paternel, il le fera d'ailleurs fructifier brillamment. En attendant, Anna ne veut pas que son fils demeure un autodidacte de la musique, et elle le conduit chez un célèbre organiste, Joseph Drechsler, qui accepte de lui enseigner les secrets de sa technique – il s'en mordra un jour les doigts ! Ajoutons qu'Anna ne s'est pas bornée à encourager la vocation de Schani ; son fils cadet Joseph ayant également manifesté des dons musicaux, il aura droit, lui aussi, à des leçons… Bien entendu, toujours en cachette de Johann Ier.

Ces leçons clandestines sont facilitées par les absences de Vienne de plus en plus fréquentes du roi de la valse. Car sa renommée ne s'arrête plus désormais aux frontières des pays germaniques. Après Paris, Londres le réclame à l'occasion du couronnement de la toute jeune reine Victoria. Malgré les réticences de ses musiciens, qui commencent à avoir le mal du pays, Strauss entraîne donc son orchestre de l'autre côté de la Manche.

La tournée anglaise commence sous de sombres auspices : Strauss s'étant fait dérober tout son argent, il se trouve dans l'incapacité de régler sa note d'hôtel et celle de ses musiciens. L'affaire prend un tour dramatique : les lois anglaises ne plaisantant pas avec le délit de grivèlerie, l'orchestre et son chef risquent de se retrouver sous les verrous. Survient alors un certain M. Cock, éditeur de musique, qui promet de régler les dettes si Strauss lui écrit une valse sur-le-champ. Le musicien s'exécute, et M. Cock revendra très cher cette œuvre de circonstance. Très vite, en effet, Strauss et son orchestre attirent un nombreux public dans les salles où ils se produisent, principalement en réaction contre les attaques dont ils font l'objet de la part d'une certaine presse, toujours au nom de la sacro-sainte morale. Comme en Allemagne, la pruderie protestante n'y va pas par quatre chemins, comme en témoigne cet article de journal :

« On ne peut s'empêcher de penser au déplaisir qu'aurait une mère anglaise en voyant sa fille traitée aussi librement par son cavalier et, qui pis est, d'observer que la fille répond aux avances dans le même style. »

Poursuivant son combat contre le démon tentateur, le chroniqueur cite un poème, écrit bien des années auparavant par Lord Byron, et dans lequel ce dernier dénonçait la danse maudite, l'accusant d'exposer les femmes au risque d'être violées par leurs cavaliers ! Rien de moins ! Quand on sait ce que fut l'existence de Lord Byron, on ne peut que sourire en le voyant brandir l'oriflamme de la vertu…

Quoi qu'il en soit, il faut croire que le goût du péché possède d'irrésistibles saveurs, car ces critiques ont pour conséquence d'accroître encore davantage le succès de Strauss et de ses valses. La consécration suprême vient au mois de décembre 1838 : lors d'un grand bal donné à Buckingham Palace, Johann Strauss officie, et c'est au rythme de sa musique que danse la reine Victoria. Celle qui est alors une gracieuse souveraine de 19 ans adresse au musicien les plus vifs compliments et ne semble guère s'émouvoir de l'aspect « démoniaque » de la valse. Son long règne de soixante-quatre ans lui offrira, hélas ! l'occasion de changer d'état d'esprit et de se muer en farouche gardienne du temple.

La maison natale de Johann fils.

Forte de ses lauriers londoniens, la tournée de Strauss se poursuit à travers l'Angleterre et l'Irlande pendant toute l'année 1839, ce qui provoque la rébellion de l'ensemble de l'orchestre, qui ne pense qu'à regagner Vienne. Mais la musique du succès est tout aussi grisante que celle des valses, et Johann ne se lasse pas de l'entendre résonner. Malheureusement, la rudesse du climat britannique et la fatigue due aux quelque cent cinquante concerts qu'il a dirigés en moins de deux ans vont avoir raison de la santé de Johann Strauss.

A l'issue d'une dernière représentation à Derby, Strauss est terrassé par un mal subit et part précipitamment pour la France. A Calais, il sombre dans un coma profond. Dans la presse anglaise, le bruit de sa mort se répand aussitôt – certains n'hésitant pas à voir là une punition du ciel envers l'homme qui, par ses valses, a libéré les puissances du démon.

Au terme d'un voyage de plusieurs semaines, Strauss, allongé sur une civière, parvient quand même à regagner Vienne. Celle qui l'accueille, qui demeure nuit et jour à son chevet et qui, à force de soins, lui permet de recouvrer la santé, ce n'est pas Émilie mais Anna… La brave Anna, qui n'a pas épargné sa peine et qui va en être récompensée de curieuse façon : tout juste rétabli, Strauss, dont le concert de rentrée au Sperl a été un triomphe, s'empresse de regagner la Kumpfgasse et de reprendre la vie commune avec Émilie. Cette fois-ci, la rupture avec son épouse est définitive. Heureusement pour Anna, un jeune musicien de 15 ans, également prénommé Johann, va lui apporter la plus éclatante des revanches.

Pour répondre aux exigences de son public, Johann Strauss s'est remis au travail. Parmi les œuvres les plus marquantes qu'il compose durant les neuf années qui précèdent sa disparition, citons les *Valses des caprices, de l'aurore, de la Moldau et de l'Odéon*, les *Quadrilles de l'empereur Ferdinand, du gardien du peuple, de Flora et du souvenir du carnaval 1847*, la *Polka Fortuna*. Pourtant, malgré l'abondance de sa production et les succès qu'elle rencontre, le roi de la valse ne crée plus avec la même facilité ni le même plaisir depuis son retour. Sans doute les séquelles de la maladie qui a failli l'emporter se font-elles encore sentir. Mais d'autres considérations l'agitent confusément ; peu à peu, le climat autour de lui se détériore. Les Viennois, tellement portés vers les plaisirs, les Viennois, insouciants, imprévoyants et impécunieux, sont en train de changer. Les difficultés économiques pèsent sur la plus grande partie de la population ; à l'intérieur de l'empire, les diverses nationalités revendiquent leur autonomie de plus en plus bruyamment. L'empereur Ferdinand Ier, qui a succédé à son père François Ier en 1835, est un esprit médiocre, voire attardé, qui ne saurait faire face à une situation de crise. Quant au véritable maître du pays, le vieux chancelier Metternich, ses conceptions datent du siècle précédent et ne tiennent aucun compte de l'évolution des mentalités.

Doté d'une extrême sensibilité, Johann Strauss ressent les atteintes portées à un ordre et à une société auxquels il est profondément attaché, et qu'il ne veut voir changer sous aucun prétexte. A ce climat troublé il convient d'ajouter celui de sa vie sentimentale. Bien qu'elle soit à présent sans rivale, le caractère d'Émilie ne s'est pas adouci pour autant ; il lui faut toujours davantage d'argent, davantage de cadeaux ; de surcroît, elle supporte mal l'intérêt, pourtant limité, que Johann porte à sa famille légitime – intérêt qui s'exerce d'ailleurs à l'encontre des vœux d'Anna et de son fils aîné. Par une étrange obstination, Johann persiste toujours dans son refus de voir Schani suivre ses traces ; il veut faire de lui un employé de la Caisse d'épargne ! On frémit à la pensée que, si ce projet s'était accompli, le monde aurait été privé de tant de chefs-d'œuvre. Il a exigé que son fils suive les cours de l'École polytechnique, spécialisée dans l'enseignement des sciences économiques. Mais Johann fils est aussi imperméable aux « charmes » de la comptabilité que l'était son père à ceux de la reliure. Un jour, en plein cours de géographie économique, alors qu'il lit en cachette la partition d'une nouvelle chanson, Schani est tellement séduit que, oubliant le lieu où il se trouve, il se met à fredonner la ritournelle. On imagine le scandale… Quelques jours plus tard, il est chassé de l'École polytechnique ! Fureur de son père qui fait renouveler à Anna, par voie d'huissier !…, l'interdiction formelle pour leur fils de poursuivre des études musicales. Comment Johann a-t-il pu oublier à ce point l'ostracisme dont il fut lui-même l'objet quand, encore enfant, il sentit naître en lui sa vocation ? Heureusement, Anna fait preuve de cet esprit de décision dont elle est coutumière : Johann fils est plus que jamais assidu aux leçons de Joseph Drechsler, et celui-ci se montre très satisfait de son élève. Le digne organiste est persuadé que le jeune homme est promis à une carrière de compositeur de musique religieuse, aussi tombe-t-il de haut quand, un jour, il entend Johann jouer une valse sur l'orgue de l'église… Drechsler est outré, malgré les explications – peu convaincantes – de Johann : « Je voulais faire une fugue… mon imagination s'est emballée ! » Pour lors, Johann Strauss père occupe toujours une place qui semble inexpugnable dans le cœur des Viennois. Le seul rival qui aurait pu se dresser sur sa route meurt prématurément, durant l'année 1843. On l'a vu, Joseph Lanner, en grande partie à cause de son intempérance, avait perdu la faveur impériale ; il n'était plus le chef titulaire des bals de la cour. Mais le peuple avait conservé pour lui et sa musique une vive tendresse, en raison même de ses manières, demeurées aussi simples qu'à ses débuts. Quand le malheureux Lanner contracte la fièvre typhoïde et

La famille Strauss réunie sur une même image…
comme elle ne le fut jamais dans la réalité.

La salle de l'Elysium, où Johann Strauss se produisit avec succès.

est emporté en quelques jours, à 42 ans, des milliers de Viennois accompagnent sa dépouille jusqu'au cimetière de Döbling. En tête du cortège se trouvent Johann Strauss et les membres de son orchestre. Venu rendre un ultime hommage à celui qui, en dépit de leurs dissensions, est demeuré cher à son souvenir, Strauss a demandé à ses musiciens de jouer l'une des plus tendres musiques de Lanner : *La Valse de Schönbrunn*.

Johann Strauss règne désormais sans partage sur la valse viennoise qui, plus qu'une danse, est devenue un phéno-mène de société. Et c'est juste au moment où il trône au sommet de la gloire que Johann voit se dresser sur sa route un rival qui n'est autre que son propre héritier ! Une affiche collée sur les murs de Vienne se charge de l'en informer : « Invitation à une soirée dansante, qui aura lieu le mardi 15 octobre 1844, au casino Dommayer à Hietzing. Johann Strauss – le fils – aura l'honneur de diriger pour la première fois son propre orchestre, dans un programme d'ouvertures et de morceaux d'opéra, ainsi qu'avec quelques œuvres de sa propre composition. Il compte sur la bien-veillance de son public. Johann Strauss Junior. »

Si Schani, à 19 ans, semble lancer ainsi un défi public à son père, c'est non seulement en raison d'une vocation irrésis-tible, mais aussi parce qu'il y est poussé par la nécessité. Anna, à présent, est à bout de ressources : les leçons données à son fils ont achevé d'épuiser son maigre avoir, et Johann estime qu'il doit assumer la responsabilité de la faire vivre. Il a donc décidé de se lancer, ce qui n'a pas été sans difficulté. Il lui a d'abord fallu obtenir de la municipalité l'autorisation de former un orchestre, son père ne lui ayant, évidemment, pas donné son consentement. Brave et sans rancune, bien qu'il déplore que son élève se consacre à cette musique pro-fane, Joseph Drechsler est intervenu : grâce à lui, à son auto-rité, le jeune homme a eu gain de cause. Schani a dû ensuite trouver des musiciens. Pendant des jours et des nuits, avec une sûreté de jugement étonnante chez un garçon aussi jeune, il a fait passer des dizaines d'auditions ; ainsi, il a pu constituer un orchestre présentable bien que restreint. Mais, pour Schani, le plus difficile reste à faire : découvrir un éta-blissement qui accepte de l'accueillir. A cette occasion, il va devoir surmonter les embûches que l'hostilité de son père a placées sur sa route.

L'affiche du concert a provoqué chez Johann Strauss une crise de fureur. Un moment, il songe à donner un concert le même jour que Schani, mais il renonce devant le ridicule d'une telle confrontation. Toutefois, il entend bien lui mettre le plus grand nombre possible de bâtons dans les roues. Son impresario, Carl Friedrich Hirsch, un ancien élève de Beethoven, est investi d'une mission qui n'est pas à l'honneur du roi de la valse : il fait la tournée des principales salles de bal de Vienne prévenir leurs propriétaires que, s'ils accueillent le fils, ils devront renoncer au père. Cette menace est suffisante pour qu'aussitôt les portes se ferment devant Johann Junior. Heureusement, le casino Dommayer, situé dans le faubourg de Hietzing, loin du centre de la capitale, se soustrait à l'entreprise de Hirsch, et son directeur accepte d'abriter le premier concert du jeune homme. Il n'aura pas à le regretter…

L'annonce du concert de son fils
provoque la colère de Johann père.

Johann Ier, lorsqu'il apprend la nouvelle, en est tellement bouleversé qu'il tombe malade. Est-ce pour lui remonter le moral que Carl Friedrich Hirsch tente une nouvelle manœuvre, tout aussi regrettable que la précédente ? Le voici en effet qui recrute, dans les bas quartiers de Vienne, une cinquantaine de malandrins qui doivent, à son signal, troubler le concert du 15 octobre et, si possible, en interrompre le cours. De son côté, Haslinger, l'éditeur du père, voit d'un aussi mauvais œil cette concurrence du fils ; il se charge également d'amener sur les lieux un joli lot de perturbateurs. Les « conjurés » peuvent, en outre, compter sur tous ceux qui n'admettent pas que la gloire de leur idole soit menacée, a fortiori par son propre fils… Bref, l'affaire ne s'annonce pas de tout repos pour Schani, d'autant qu'il ne dispose que de quinze musiciens et que son répertoire est mince – il n'a pas eu le temps de beaucoup composer ces derniers temps.

Ce mardi 15 octobre, durant les heures qui précèdent le début du concert, le jeune Strauss n'en mène pas large, mais un farouche sentiment de fierté l'anime, comme jadis son père. Même si le fossé s'est creusé entre les deux hommes, la similitude de leurs tempéraments est frappante. De surcroît, Johann II possède un motif impérieux ; conscient de la dette morale qu'il a contractée envers sa mère, il s'est juré de lui faire oublier les épreuves qu'elle a subies.

Sur la place de Hietzing, devant le casino Dommayer, la foule s'agglutine, de plus en plus nombreuse et impatiente. Depuis longtemps, tous les billets ont été vendus. L'annonce du concert a soulevé la curiosité des Viennois : ce Strauss, deuxième du nom, a-t-il hérité de son père le don miraculeux de semer l'ivresse dans les cœurs ? C'est ce que toute la ville se demande, et voilà pourquoi, bien avant l'heure du concert, des milliers de personnes s'efforcent de pénétrer dans l'enceinte d'un établissement qui ne peut les contenir toutes. Ceux qui sont derrière poussent ceux qui sont devant, la bousculade est générale, l'émeute menace… Et tout cela pour écouter un jeune musicien qui ne s'est encore produit nulle part, dont on ne sait même pas s'il a quelque talent… Seulement il porte un nom magique, synonyme de bonheur pour les Viennois depuis près de vingt-cinq ans, et cela suffit pour que les gens attendent de ce Strauss qu'il fasse jaillir de son violon la même source enchantée qu'un autre Strauss a découverte… Silhouette anonyme, perdue dans cette foule, Anna attend ; ses sentiments sont partagés : ce jour sera-t-il celui de sa revanche, marquera-t-il le triomphe de ce fils auquel elle a voué ses forces et ses espérances ? Ou bien le clan des partisans de son mari signifiera-t-il à Schani que le nom de Strauss ne se partage pas ? On peut imaginer l'anxiété de cette femme que le destin a tant malmenée jusqu'à présent, tandis qu'autour d'elle la foule, ignorante de l'enjeu de la bataille qui va se livrer, bourdonne de mille bruits.

Soudain, la rumeur cesse : Johann II vient d'apparaître sur l'estrade. Tout de suite, l'impression produite est favorable : il est très élégant, ce jeune homme, dans sa redingote bleue – même si celle-ci n'est pas encore payée au tailleur ! Mais à peine a-t-il donné à ses musiciens le signal du départ que des cris stridents, des huées, des miaulements se font entendre. Ce sont les sbires de Hirsch et de Haslinger qui jouent la partition pour laquelle ils sont payés. Cependant, celle que va diriger Schani va vite les obliger à se taire. Dès sa première valse, Johann Junior déchaîne une vague d'enthousiasme. Cette œuvre, le premier des quelque cinq cents morceaux que, en un demi-siècle, Johann II offrira au public de Vienne, porte un titre évocateur : *Le Cœur d'une mère*. Anna elle-même l'a trouvé trop indiscret et a demandé à son fils de le changer. Mais, avec cette valse sous ce titre ou sous un autre, Johann a gagné la partie. Debout, hurlant le nom du musicien, la foule sacre un nouveau roi par ses bravos. Pour répondre à la demande de son auditoire, l'orchestre va devoir jouer cette valse dix-neuf fois de suite ! Avec un instinct qui ne le trompe pas, le public a senti que ses rêves naîtraient désormais au rythme de l'inspiration de ce jeune homme de 19 ans. Sa musique, faite de fougue et de tendresse, les harmonies qui s'y croisent, se mêlant dans un élan de volupté, ne vont pas seulement guider les pas des danseurs, elles vont faire souffler sur le monde une brise qui continue de le griser un siècle et demi plus tard.

Le spectacle est insolite : non seulement les fauteurs de trouble sont submergés par la houle populaire, mais Hirsch lui-même, debout sur sa chaise, applaudit à tout rompre. Cet ancien disciple de Beethoven, musicien avant tout, n'a pas pu résister à l'attraction qu'exerce Johann et a été entraîné dans le tourbillon. Sur la scène du Dommayer, les heures s'écoulent sans que l'assistance s'en aperçoive. La nuit est venue depuis longtemps, et Johann est toujours sur l'estrade, bissant et rebissant ses valses, propageant cette sensualité frémissante qui caractérise son œuvre.

Au lendemain de cette soirée mémorable, la presse est unanime pour saluer le nouveau roi de la valse. Un des plus célèbres critiques de l'époque, Johann Vogt, écrit dans l'*Österreichischer Morgenblatt* : « Le talent n'est pas le monopole d'un seul homme. Ce jeune homme est aussi riche de mélodie et de piquant que son père, aussi habile que lui dans l'instrumentation. Et cependant, il n'a rien d'un imitateur servile dans la façon dont il a tiré parti des compositions de ce dernier. » Même son de cloche dans le *Wanderer*, qui ose cette conclusion prophétique : « Au revoir, Strauss père ! Bienvenue à vous, Strauss fils ! »

De quel œil Strauss père a-t-il dû considérer cette invitation à céder la place à son rejeton ? Schani, comme s'il avait pressenti la suite des événements et voulu apporter à son père l'hommage de sa jeune gloire, a pourtant terminé son concert par l'une des valses les plus fameuses de Johann Ier, *Lorelei Rhein-Klänge*, dont il a interprété la partie de violon avec une sensibilité et une émotion qui n'ont pas échappé à l'assistance. Mais cette démonstration publique d'allégeance filiale n'a dû guère consoler le grand Strauss de devoir désormais partager sa gloire et sa couronne.

Au casino Dommayer, Johann fils affronte pour la première fois le public viennois.

Frontispice de La Marche de Radetzky, *de Johann Strauss père.*

Ce qui a impressionné le public comme les critiques, tout autant peut-être que la richesse de ses compositions, c'est l'étonnante maturité dont le jeune Johann a témoigné dans la direction d'orchestre, tout au long de cette soirée mémorable. Sans doute faut-il voir là l'heureuse conséquence de ses études auprès de Joseph Drechsler. Alors que son père fut d'abord un autodidacte, Johann fils possède, pour sa part, une technique solide, sans que ses connaissances musicales nuisent à la spontanéité ni à la fraîcheur de son inspiration. Les harmonies qui se succèdent dans une même valse, les images riches en couleurs dont il parsème son œuvre semblent jaillir naturellement, comme si elles étaient le fruit d'une improvisation continue. Plus encore que ne le fut son père, Johann est sans cesse habité par la musique – ce qui explique la longévité et la permanence de son succès, puisque c'est à l'âge mûr qu'il connaîtra ses plus éclatantes réussites.

Du jour au lendemain, le nom du nouveau roi de la valse est sur toutes les lèvres. Les éditeurs et les cabarets se le disputent ; les impresarios se bousculent avec des contrats mirifiques et des propositions de tournées dans l'empire et à l'étranger. Ce succès, pour aussi foudroyant qu'il soit, ne nuit toutefois pas à la popularité de Johann Iᵉʳ. Même s'il doit partager sa renommée, il n'en demeure pas moins l'idole du peuple viennois comme le musicien préféré de la cour. On dirait même que le public lui est reconnaissant d'avoir engendré un héritier digne de lui et d'avoir ainsi assuré à la valse sa pérennité.

Johann Iᵉʳ, on s'en doute, est loin de partager cette euphorie. Même s'il recueille toujours autant d'applaudissements quand il se produit, que les ouvrages qu'il compose séduisent toujours le cœur et l'oreille du public, il enrage de voir son autorité bafouée par une vocation qu'il a tout fait pour contrecarrer. Circonstance aggravante, la réussite de Schani est également la revanche d'Anna. Aussi injuste que cela soit, Johann éprouve une sorte de ressentiment vis-à-vis de son épouse, en raison même des torts qu'il a envers elle. Et puis, Émilie est là pour attiser le feu ; elle estime que les maigres subsides versés par Johann à sa famille légitime diminuent d'autant ce qu'elle peut lui arracher pour elle et ses enfants. Les tracasseries continues dont il est l'objet de la part de sa maîtresse, comme les succès glanés par son fils, altèrent la santé de Strauss père, déjà ébranlée par une activité incessante. Il ne s'est jamais tout à fait rétabli de la crise qui a failli l'emporter pendant sa tournée en Angleterre. Son équilibre nerveux s'en ressent, et il doit faire appel à toute son énergie pour affronter ses engagements.

Des événements extérieurs vont venir perturber l'existence quotidienne des Viennois et leur ôter provisoirement l'envie de danser. Depuis plusieurs années, l'Europe est le théâtre de soubresauts de plus en plus violents. Pour les observateurs politiques, il est évident que cette situation va déboucher sur une crise. Certes, la poigne de fer de Metternich et une censure impitoyable ont tenu jusqu'à présent la capitale de l'empire à l'abri des courants venus de l'extérieur. Mais nul régime ne peut indéfiniment garder son peuple à l'écart du monde. Comme en 1789, c'est de France que va venir le signal de la rébellion. Au mois de février 1848, une révolution emporte en trois jours le trône de Louis-Philippe. Depuis Paris, les idées libérales se répandent comme une traînée de poudre chez les voisins de la France. Malgré les précautions prises par le gouvernement, l'empire d'Autriche est à son tour gagné par la contagion. Une délégation composée d'étudiants et d'ouvriers se présente au début du mois de mars à la Hofburg et demande à discuter avec Metternich. Mais le chancelier n'a pas l'intention de parlementer avec « la canaille » – c'est ainsi qu'il considère ceux qui parlent au nom de la liberté. Il a recours à la manière forte et ordonne à la troupe de tirer sur la délégation. Le résultat ne se fait pas attendre : en quelques heures, la capitale s'embrase ; unis dans une même indignation, les paisibles Viennois exigent à présent le départ de

Metternich. Devant cette levée de boucliers, le vieil homme d'État prend peur et s'enfuit à Londres. En abandonnant le pouvoir, il laisse derrière lui un pays en proie au désordre et une capitale en pleine effervescence, que l'empereur Ferdinand et sa cour abandonnent à leur tour pour se réfugier à Innsbruck, au cœur du Tyrol. (En la circonstance, le malheureux Ferdinand fournit la parfaite démonstration de son incapacité.) L'Autriche se retrouve donc sans gouvernement, et cet état d'anarchie va durer jusqu'à l'automne.

Ces événements ne sont pas sans conséquences sur les destinées des deux rois de la valse et contribuent à les éloigner encore davantage l'un de l'autre. Si Johann père se trouve forcément dans le camp des fidèles de la monarchie, Johann fils embrasse non moins naturellement la cause des révolutionnaires. Ces prises de position opposées se manifestent sur le terrain qui leur est familier : celui de la musique. En raison des troubles qui agitent le pays, les Viennois n'ont plus tellement envie de valser ; ils sont en revanche tout disposés à marcher. Pour obéir au goût du jour, les deux Strauss vont donc écrire des marches. Ainsi Johann Ier compose-t-il l'une de ses œuvres les plus fameuses, *La Marche de Radetzky*, qui rend hommage au célèbre militaire qui vient de s'illustrer en matant sans ménagements la révolte des Milanais. Comme pour lui répondre, Johann II écrit *La Marche des étudiants*, *La Marche de la révolution*, ou encore *La Valse de la liberté*, des titres évocateurs qui lui

Après la révolution, le jeune François-Joseph remplace sur le trône son oncle Ferdinand.

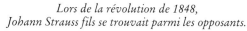

Lors de la révolution de 1848,
Johann Strauss fils se trouvait parmi les opposants.

vaudront quelques ennuis quand la monarchie aura repris les choses en main. Acquis aux idées libérales, le jeune homme se compromet en se rangeant résolument dans le camp des contestataires, mais son activité demeure prudente. Vers la fin août, alors qu'il monte la garde sur la Karmeliterplatz, on lui signale qu'une confrontation violente va se produire sous peu avec les forces de police. Cette perspective ne l'enchante guère ; sans plus hésiter, il déserte son poste et s'en va dîner avec Anna. Il emploie le reste de la soirée à écrire de la musique, ce qui lui convient davantage que de jouer les héros et est infiniment moins dangereux. Si l'on peut critiquer cette désinvolture, on ne peut que se réjouir qu'elle ait préservé l'existence du musicien et, par là même, assuré la création de tant de chefs-d'œuvre.

Après quelques mois de confusion, la situation dans l'empire se clarifie. Sans que la Constitution évolue vers des réformes profondes, quelques satisfactions sont données aux revendications populaires. Principal changement : Ferdinand doit laisser son trône à son neveu, le jeune archiduc François-Joseph, qui entame un règne de soixante-huit années. Les Viennois saluent avec soulagement l'avènement du nouvel empereur et la fin de la crise.

Frédéric Chopin n'aimait pas la musique des Strauss.

Daniel François Esprit Auber (1782-1871)

Fra Diavolo (1830). *Le Domino noir* (1837). *Les Diamants de la couronne* (1841).

Hector Berlioz (1803-1869)

Symphonie fantastique (1830). *Harold en Italie* (1834). *Roméo et Juliette* (1839). *Benvenuto Cellini* (opéra, 1836). *La Damnation de Faust* (1846).

Franz Liszt (1811-1886)

Harmonies poétiques et religieuses (1834-1850). *Album d'un voyageur* (1836), transformé en *Années de pèlerinage* (1849). *Douze Études d'exécution transcendante* (1838). Douze *Poèmes symphoniques* (1848-1854). Trois *Études de concert* (1848).

Felix Mendelssohn-Bartholdy (1809-1847)

Romances sans paroles (1829-1845). *Symphonie n° 4*, dite « Italienne » (1833). *Concertos* pour piano (1831-1837). *Le Songe d'une nuit d'été* (1843). *Marche en ré majeur* (1841).

Robert Schumann (1810-1856)

Papillons (1831). *Carnaval* (1835). *Phantasiestücke* (1837). *Kreisleriana* (1838). *Humoresque* (1838). *Novelettes* (1838). *Concerto*, *quatuor* et *quintette* pour piano (1841-1842). *Genoveva* (1849). *Symphonie n° 3*, dite « Rhénane » (1850).

Richard Wagner (1813-1883)

Rienzi (1840). *Le Vaisseau fantôme* (1841). *Tannhaüser* (1845). *Lohengrin* (1850).

Frédéric Chopin (1810-1849)

Enfant prodige, célèbre dans son pays, Chopin quitte Varsovie le 2 novembre 1830, désespéré de quitter sa patrie et surtout la jeune cantatrice Constance Glodkowska, dont il est épris. Il arrive à Vienne quelques jours plus tard, où il apprend l'insurrection de ses compatriotes contre l'occupant russe. Son angoisse sur le sort de Constance lui inspire, une nuit qu'il se trouve dans la cathédrale Saint-Étienne, le *Scherzo en ré mineur* qui traduit sa détresse du moment. Par ailleurs, son séjour à Vienne est un échec complet. Sa musique, d'une facture nouvelle, heurte l'esprit conservateur des milieux musicaux ; il ne parvient même pas à se faire éditer. Dans une lettre à son père, il fait part de sa mauvaise humeur : « Ici, ils n'impriment que du Strauss », écrit-il, agacé par la gloire du roi de la valse. Et pourtant, lui-même ne tardera pas à illustrer ce genre musical avec quelques-unes de ses œuvres les plus fameuses, dont la *Valse en la bémol majeur*.

Douze *Études* (op. 10, 1830-1834). Quatre *Scherzos* (1835-1843). Dix-neuf *Nocturnes* (1827-1846). Vingt-cinq *Préludes* (1839-1841). Quatre *Impromptus* (1834-1843). Seize *Polonaises* et cinquante-cinq *Mazurkas*. *Berceuse* (1845). *Barcarolle* (1846).

Franz Liszt écrivit lui aussi quelques jolies valses.

Le fameux Prater, où l'on pouvait rencontrer le Tout-Vienne.

Un autre grand musicien de son temps : Felix Mendelssohn.　　　*Robert Schumann, qui devait connaître une fin tragique.*

1832
- Épidémie de choléra à Paris : dix mille victimes.
- Complot légitimiste de la duchesse de Berry, arrêtée à Nantes.
- Mort de l'Aiglon, fils de Napoléon Ier, à Schönbrunn.

1834
- Diverses émeutes éclatent à Paris, dont celle de la rue Transnonain, sévèrement réprimée.
- En Afrique du Sud, les Boers s'installent au Natal et au Transvaal.

1835
- Attentat de Fieschi contre Louis-Philippe.

1836
- Échec de la tentative de soulèvement de Louis Napoléon Bonaparte, à Strasbourg.

1837
- Avènement de la reine Victoria en Angleterre.
- Inauguration de la première ligne de chemin de fer en France, entre Paris et Le Pecq.

1840
- Nouvelle tentative de soulèvement de Louis Napoléon Bonaparte. Le prince est arrêté et enfermé dans la forteresse de Ham.
- Retour des cendres de Napoléon et inhumation aux Invalides.

1842
- Mort accidentelle du duc d'Orléans, héritier du trône.

1843
- En Algérie, prise de la smala d'Abd el-Kader par le duc d'Aumale, l'un des fils du roi Louis-Philippe.

1844
- Victoire du maréchal Bugeaud, à Isly, sur le sultan du Maroc qui abandonne Abd el-Kader.

1846
- Louis Napoléon Bonaparte s'évade du fort de Ham et gagne l'Angleterre.

1847
- Soumission d'Abd el-Kader. Le duc d'Aumale devient gouverneur général de l'Algérie.
- Les Américains prennent Mexico.

1848
- A la suite de Paris et de Vienne (voir ci-contre), Venise, Berlin, Milan, Munich s'enflamment. Un gouvernement provisoire est institué en Bohême.

Après quarante ans de pouvoir, Metternich doit prendre la fuite, ce qui visiblement ne lui fait pas plaisir !

1849
- Élections à l'Assemblée législative et victoire des conservateurs.
- Occupation de Rome par les Français, qui rétablissent le pape Pie IX qui avait dû s'enfuir à Gaète.
- Un peu partout en Europe, l'ordre est rétabli.

Les révolutions de 1848, à Paris et à Vienne

En février 1848, le roi des Français, Louis-Philippe, sourd au mécontentement populaire grandissant, se refuse aux réformes constitutionnelles et économiques nécessaires. L'opposition, muselée par la censure, s'exprime au moyen de banquets où les orateurs vilipendent le régime. Le 21 février, l'interdiction de l'un de ces banquets, à Paris, met le feu aux poudres. En quelques heures, Paris s'enflamme. Le roi tarde à prendre les mesures qui s'imposent, et il ne faut que trois jours pour que la royauté soit emportée. Tandis que la famille royale s'exile en Angleterre, la république est proclamée le 24 février. Depuis Paris, la révolution fait tache d'huile et embrase plusieurs capitales européennes, Vienne notamment. Là aussi, le pouvoir ignore les revendications populaires ; l'insurrection prend une telle ampleur que le vieux chancelier Metternich démissionne et quitte le pays. De leur côté, l'empereur Ferdinand et le gouvernement ont abandonné Vienne pour se réfugier au Tyrol. Finalement, l'empereur sera obligé d'abdiquer en faveur de son neveu, l'archiduc François-Joseph, qui commence un règne de soixante-huit ans.

Pendant la révolution de 1848, une barricade qu'on dirait sortie d'une opérette.

En route vers la Gloire

1. LA MORT DU PÈRE

La vie normale reprend petit à petit à Vienne, mais les séquelles des troubles qui ont agité la capitale sont encore visibles. A peine installé au pouvoir, le nouveau gouvernement exerce de sévères représailles contre ceux qui sont soupçonnés d'avoir pris part aux émeutes. Si Johann Junior a évité prudemment de trop s'investir dans la révolte, son jeune frère Joseph, plus téméraire, a combattu sur les barricades. Des soldats se présentent au domicile d'Anna avec mission de l'arrêter, mais, heureusement pour lui, ils ne songent pas à regarder dans la cheminée, où Joseph a dissimulé trois fusils. De son côté, Schani, s'il ne s'est pas mêlé à la bataille, n'est pas résolu à accepter la défaite des idées libérales. Il le démontre le 3 décembre, au lendemain même du couronnement de l'empereur François-Joseph, en dirigeant lors d'un concert *La Marseillaise*, considérée alors comme un hymne séditieux. L'intention provocatrice est évidente et vaut au jeune homme d'être convoqué par la police, mais la popularité qu'il a déjà acquise dans le public lui permet de s'en tirer à bon compte.

Phénomène étonnant – très représentatif de leur état d'esprit –, les Viennois n'ont pas cessé de danser pendant les mois d'agitation. Nous avons vu que les deux Strauss, inspirés par les événements, ont à plusieurs reprises composé des airs qui correspondaient à leurs convictions politiques, mais, tandis que Johann II, malgré la défaite de son parti, a le vent en poupe et écrit presque chaque jour une nouvelle valse, Johann Ier se sent du vague à l'âme. Soudain, la vanité de son existence lui apparaît. Certes, il est sans aucun doute le Viennois le plus populaire, et ses valses ont fait le tour de l'Europe, mais que d'années il a gâchées en compagnie de cette Émilie Trampusch ! Malgré lui, lorsqu'il la compare à Anna, il mesure l'erreur qu'il a commise ; hélas ! il est trop tard pour la réparer. Songe-t-il alors à une réconciliation avec son fils ? D'après certains de ses intimes, l'hypothèse est vraisemblable. Mais il a trop d'orgueil pour faire le premier pas ; de son côté, Schani est fait de la même pâte que son père : sa fierté naturelle lui interdit toute tentative de rapprochement.

Ce qui aggrave le malaise de Johann Ier, c'est qu'autour de lui il sent un mur d'incompréhension. Son attitude progouvernementale durant les événements récents lui vaut l'hostilité de la jeunesse viennoise. Pire encore, des lettres de menace lui arrivent chaque jour, achevant de le démoraliser. Sa production s'en ressent ; il n'a plus envie d'écrire cette musique joyeuse qui a fait son succès. Sa décision est prise : puisque Vienne semble ne plus vouloir de lui, il va chercher ailleurs ces bravos dont il a tant besoin. Mais il sera déçu : en Allemagne comme en Bohême, il se produit devant des salles à moitié vides, et parmi ceux qui sont venus, il se trouve toujours quelques perturbateurs pour crier des insultes en direction du musicien. Aussi, entraînant son orchestre,

La reine Victoria d'Angleterre entourée de son époux, le prince Albert,

Strauss s'éloigne de plus en plus de la mère patrie, un périple qui ressemble un peu à une fuite. C'est ainsi qu'il arrive en Angleterre, où l'accueil officiel rassérène le roi de la valse : la reine Victoria et le prince consort Albert le reçoivent à Buckingham Palace, la duchesse de Gloucester organise un concert à son bénéfice. Mais en Angleterre, comme ailleurs, le public se fait rare, et les critiques fusent du rang des libéraux. Toutefois, lorsque Johann et ses musiciens quittent Londres en bateau, leurs admirateurs, qui ont affrété plusieurs embarcations, les accompagnent jusqu'à leur sortie de la Tamise en poussant des acclamations qui leur vont droit au cœur.

A son retour à Vienne, à l'été 1849, Strauss constate que le climat a changé ; les conflits politiques ont perdu de leur acuité, et c'est un public aussi enthousiaste qu'avant qu'il retrouve le 15 juillet, au casino Unger, pour son concert de rentrée. La salle est pleine, et des salves de bravos saluent Johann tandis qu'il grimpe sur l'estrade. Comme d'habitude, c'est avec son archet qu'il dirige sa formation, ce qui

et de ses enfants, dont le futur roi Édouard VII.

lui permet de jouer ces parties de violon que les spectateurs attendent avec une impatience gourmande. Réconforté par cette atmosphère chaleureuse, le roi de la valse a retrouvé le sourire, et c'est avec sa virtuosité habituelle qu'il attaque le premier morceau. Mais soudain, avec un bruit mat, l'archet de Strauss se brise net ; l'un des violonistes de l'orchestre lui tend aussitôt un autre archet, mais Strauss demeure quelques instants le regard fixe, comme pétrifié. Il doit faire un effort pour se ressaisir et poursuivre le concert.

Cet incident, en apparence anodin, a agi sur les nerfs déjà éprouvés du musicien ; il lui prête un caractère symbolique, y voit l'image de son destin brisé, l'annonce de sa fin prochaine. Un autre incident va l'impressionner tout autant : une millionnaire plutôt excentrique vient de mourir ; pendant vingt ans, les valses de Strauss l'ont enchantée. Dans son testament, elle a exprimé la volonté que son idole et ses musiciens viennent lui offrir un ultime concert, en jouant une valse auprès de son cercueil. Ce désir est accompagné d'une somme rondelette, et Strauss a toujours besoin d'ar-

gent. Il se plie donc à cet étrange caprice, mais, là encore, il croit voir un funeste présage. Cette sensation oppressante le poursuit durant les semaines suivantes. Est-ce en raison de ses angoisses que les préventions qu'il nourrit contre son fils s'estompent progressivement ? Il n'est plus jaloux de ses lauriers, il accepte l'idée qu'un autre Johann Strauss devienne l'idole des Viennois. Il éprouve même une certaine fierté devant la réussite de son rejeton. Il suffirait de peu de chose pour que les deux hommes se réconcilient ; mais la vie en décidera autrement.

A l'automne, Johann Ier semble renaître à l'existence. Il a suffi d'un projet qui l'enthousiasme : le maréchal de Radetzky – celui-là même que Strauss a célébré dans une marche fameuse – est de retour à Vienne. Il revient d'une campagne victorieuse qu'il a menée de façon musclée en Italie. En son honneur, un concert doit avoir lieu le 22 septembre au cours d'une cérémonie à la Hofburg, en présence de l'empereur François-Joseph, et c'est Strauss qui dirigera. Cette idée suffit à dissiper les nuages noirs qui, depuis trois mois, assombrissent les pensées du musicien. Fébrilement, il prépare le programme de la soirée, qu'il veut à la fois solennel et joyeux ; il a prévu d'alterner les valses et les musiques militaires. Mais, le 22 septembre, le concert est dirigé par un autre chef : depuis la veille, Strauss est au lit, dans le minable logement de la Kumpfgasse, en proie à une fièvre dévastatrice – l'une de ses filles naturelles lui a transmis la scarlatine. Le combat qu'il mène contre la mort s'achève brutalement le 25 septembre. Il avait 45 ans.

A peine a-t-il fermé les yeux qu'Émilie, prise de panique, vide l'appartement de tout ce qu'elle peut emporter et s'enfuit avec ses enfants. Quand Joseph, alerté par la rumeur publique, arrive à la Kumpfgasse, il découvre le cadavre de son père, gisant sur le parquet, complètement nu : Émilie a même emporté ses vêtements et le drap qui le recouvrait… Quelle fin pour ce géant ! On croirait assister à la dernière scène d'un opéra.

Ce héros, mort seul, était l'idole d'une ville, et cette ville va le lui prouver. « Strauss est mort comme un chien, écrira un chroniqueur du temps, mais il a été enterré comme un roi… » Quelques jours plus tard, en effet, cent mille Viennois accompagnent Johann Ier jusqu'au cimetière de Döbling, où il pourra goûter enfin à cette paix de l'âme qu'il n'a jamais pu connaître de son vivant. La foule marche derrière le cortège, rassemblée pour la dernière fois par la magie du roi de la valse.

Quant à Émilie, le mauvais ange de Strauss, elle viendra également un jour sur sa tombe… pour y dérober une lanterne de bronze. C'est ainsi qu'elle sera surprise par la police. Tombée dans la misère, elle terminera son existence quelques années plus tard, comme femme de ménage d'un cocher… Cette fin fut la seule chose qu'elle n'avait pas volée.

La Sofiensaal, la plus célèbre salle de danse de Vienne.

Il serait vain de chercher à établir une correspondance entre le destin de Strauss et celui du fils qui lui succède. Le père était un « bohémien » et l'était demeuré toute sa vie, en dépit de son succès ; le fils, lui, est déjà un bourgeois. Certes, il a hérité de son père cette fougue dans l'expression, cette sensualité dans l'inspiration qui ont constitué les traits caractéristiques de la musique paternelle, mais il y ajoutera une recherche, une amplitude, des couleurs qui feront de la valse viennoise une véritable symphonie.

Au lendemain même des obsèques de Johann Ier, son fils entend afficher cette filiation aux yeux de tous. Il veut démontrer que nul ressentiment ne l'habite à l'égard de ce père qui a abandonné femme et enfants. C'est comme si le long intermède Émilie était effacé d'un coup. Pour mieux signifier que la famille Strauss forme un bloc solide, et en dépit de ses 19 ans, Schani se comporte tout de suite en chef de famille. En hommage à son père, il dirige le 11 octobre le *Requiem* de Mozart, démontrant ainsi qu'il peut se permettre d'aborder tous les domaines de la musique.

Du vivant de son père, la rivalité qui opposait les deux hommes dans l'opinion avait tourné à l'avantage de Schani : on s'indignait de voir ce jeune musicien en butte à l'ostracisme du roi de la valse. A présent que ce dernier est mort, le mouvement inverse se produit, d'aucuns accusant Schani de vouloir profiter de la gloire posthume de Johann Ier. Pour désarmer les mauvaises langues, Johann II, lors de son concert de rentrée, n'inscrit à son programme que des œuvres de son père. Le procédé est habile et atteint le but recherché ; de plus, dans un entretien, Johann déclare qu'il se considère comme le simple dépositaire d'une tradition familiale et qu'il doit tout à celui qui l'a précédé au royaume de la valse.

Il reste à résoudre le problème des musiciens de l'orchestre paternel ; ils sont évidemment préoccupés par leur sort, maintenant que leur chef a disparu. Johann réengage la plupart d'entre eux, ce qui constitue un témoignage de plus de sa volonté d'oublier le passé et les met à la tête d'une formation pléthorique de cinquante musiciens. Heureusement, ce ne sont pas les engagements qui manquent ! Ce n'est plus au Sperl que Johann Strauss se fait applaudir ; il se produit dans un établissement qui vient d'ouvrir ses portes et qui a drainé aussitôt vers lui un vaste public, la Sofiensaal, ainsi nommée en hommage à l'archiduchesse Sophie, la peu avenante mère de l'empereur. Très vite, Johann et ses musiciens en deviennent l'attraction principale. En quelques mois, le jeune homme s'est donc imposé comme l'héritier incontestable du roi de la valse, non seulement par ses qualités musicales, mais aussi par son sens des affaires. Il est vrai que, dans ce domaine, il dispose d'un guide précieux en la personne de sa mère. On dirait que la mort de l'homme qui l'a tant fait souffrir a apporté à Anna une sorte de délivrance, qui lui permet de réaliser pleinement sa personnalité. Ce musicien que tout Vienne reconnaît comme son nouvel enchanteur, c'est son œuvre à elle : elle a combattu farouchement pour qu'il s'impose, et elle savoure aujourd'hui un triomphe qui est aussi le sien… Mais elle ne s'endort pas sur ses lauriers. Non seulement elle discute les contrats de son fils, mais encore, excellente musicienne elle-même, elle donne à Johann de judicieux conseils. A contre-courant de l'opinion des critiques qui la vouent alors aux gémonies, Anna est très impressionnée par l'œuvre de Wagner, par l'audace et l'amplitude de ses orchestrations ; tout naturellement, elle fait part à son fils de ses observations. Plus tard, il en fera son profit, et les valses de la seconde partie de son existence s'inspireront souvent des sonorités et des modulations wagnériennes. D'ailleurs Wagner lui-même, d'ordinaire si peu charitable envers ses pairs, ne cachera pas son admiration pour les compositions de Johann Strauss fils, comme il avait apprécié celles de Johann Strauss père.

Sur le conseil d'Anna, Johann se concilie les bonnes grâces des nombreuses associations professionnelles qui fleurissent à Vienne en leur dédiant plusieurs de ses œuvres. Ces dernières portent alors des titres pour le moins insolites. Ainsi, pour complaire aux avocats, il écrit la *Valse des controverses*, la *Polka des procès* et les *Cinq Paragraphes du Code de la valse* ! Les ingénieurs ne sont pas oubliés, qui ont droit à la *Polka électro-magnétique*, à la *Valse des ondes sonores* et au *Quadrille des moteurs*. Quant aux médecins, ils sont gâtés avec la *Valse des paroxysmes* et surtout la *Valse du pouls fiévreux* ! Que ne ferait-on pas pour satisfaire sa clientèle ! Strauss écrira aussi la *Polka de la Bourse* pour les banquiers et la *Valse des blanchisseuses* afin de séduire cette corporation. Ces œuvres de circonstance n'ont pas, on s'en doute, laissé de souvenirs impérissables à la postérité. Il y a des exceptions toutefois, comme la *Valse des accélérations*, destinée aux étudiants de la Teknik, où les violons évoquent la course infernale des machines en jouant de plus en plus vite ; ou la *Valse des journaux du matin*, composée pour le club de presse Concordia, et demeurée au répertoire de l'Orchestre philharmonique, qui en a donné plusieurs auditions lors des fameux concerts viennois du Nouvel An. Dans cette pièce, Johann manifeste pour la première fois son ambition de hausser la valse au rang d'une œuvre symphonique. Avec elle, il s'évade des limites de la danse pour aller « de la salle de bal à la salle de concerts » (1).

Ces quelques exemples nous disent assez l'activité de Johann II pendant les années 1850. Comment satisfaire alors les différents établissements qui le réclament ? Son père avait déjà trouvé la solution : diviser sa formation et en confier une partie à un autre chef. Un seul musicien peut remplir cette mission délicate, selon les vœux de Strauss : son frère cadet Joseph. Mais celui-ci se fait tirer l'oreille ; jusque-là, Joseph a considéré la musique comme un simple

(1) H. Frankel, *Les Strauss, rois de la valse.*

passe-temps, occupé qu'il est par son métier d'ingénieur. Passionné par les progrès de l'industrie et de la science auxquels on assiste en ce milieu du XIXᵉ siècle, le jeune homme poursuit une carrière qui s'annonce sous les meilleurs auspices. Il a même inventé une balayeuse mécanique qui fait merveille pour nettoyer les rues de Vienne. Aussi Joseph commence-t-il par rejeter résolument la proposition de son frère. A tous les arguments que celui-ci lui oppose, il ajoute, de façon péremptoire : « Je suis trop laid pour diriger un orchestre en public ! » Certes, il est loin d'avoir l'élégance et l'aisance de Johann, mais il témoigne d'une grande sensibilité, et, si sa musique ne recèle pas la passion que reflète celle de Johann, elle n'en a pas moins infiniment de charme. Autre avantage, il a les mêmes initiales que son frère, ce qui peut semer une certaine confusion dans l'esprit du public, pour le plus grand profit de la famille Strauss…

La Valse des accélérations, *une des œuvres les plus connues de Johann Strauss fils, agrémentée ici du portrait de l'auteur.*

Un incident qui va le faire changer d'avis. Épuisé par le rythme infernal de son existence, Johann tombe malade et doit observer plusieurs semaines de repos dans un village de Styrie. Du coup, les préventions de Joseph disparaissent. Jamais il ne prétendra pour autant ôter à son illustre frère la moindre parcelle de sa gloire ; il se considérera toujours comme sa « doublure ». Même lorsqu'il se hasardera à donner en public l'audition d'une de ses premières compositions, il la nommera avec humilité *Les Premières et les Dernières Valses de Joseph Strauss* ! Seul le succès de sa musique l'obligera à poursuivre dans la voie de la création.

En tout cas, pour Johann, le renfort de Joseph est précieux. Il lui permet de se consacrer désormais davantage à ce qui constitue son dessein principal : la recherche de nouvelles images sonores qui assureront l'éternité à sa musique.

Durant son séjour en Styrie, Johann a eu tout loisir de réfléchir à son avenir ; l'accord de Joseph lui a ôté un grand poids, et il fourmille d'idées qui vont révolutionner la valse et permettre à ses œuvres de survivre aux modes et au temps.

Désormais, lorsque la fièvre créatrice s'empare de lui, Johann peut s'y abandonner sans remords ; les recettes continuent d'être assurées grâce à Joseph. Ce dernier, encouragé par son frère aîné, s'est mis lui aussi à écrire de la musique, et le plus beau compliment que la postérité lui adressera sera de confondre parfois certaines de ses œuvres avec celles de Johann, telles ces deux valses d'une harmonie délicate : *Les Hirondelles du village* et *Ma vie est une vie d'amour et de joie*, ou encore cette fameuse *Pizzicata-Polka*, que Johann et Joseph ont écrite ensemble, fondant leur double inspiration dans un même creuset.

Partition de la valse Les Hirondelles du village.

Si Johann est ravi de laisser fréquemment sa baguette de chef d'orchestre à son frère, il nourrit l'ambition d'être nommé directeur des bals de la cour, comme le fut son père. Mais le jeune empereur et son entourage n'ont pas oublié l'attitude contestataire du musicien durant les événements de 1848 ; il lui faudra patienter quelques années avant que sa réputation force les portes de la Hofburg.

En attendant, lorsque la fatigue se fait sentir, il a pris l'habitude de s'accorder de temps à autre de courts entractes. Ainsi, à l'été 1854, il est parti prendre les eaux à Badgastein, sans se douter que l'aventure viendrait le chercher dans cette paisible retraite pour le conduire jusqu'en Russie. Une nou-

velle station d'été vient d'être créée à Pavlosk, dans les environs de Saint-Pétersbourg. Pour la lancer, quel meilleur porte-drapeau que l'illustre Johann Strauss ? Celui-ci, de façon générale, répugne aux voyages comme à tout ce qui dérange ses habitudes. Héritage de son père, son équilibre nerveux est précaire, et il traverse des périodes d'angoisse irraisonnée. Or, la Russie est alors un pays presque inconnu, et l'idée de s'y rendre suffit à le glacer d'effroi. Mais ce qui le réchauffe, c'est le nombre impressionnant de roubles qui accompagne l'engagement.

Johann prend donc la route pour la Russie avec une partie de son orchestre. Ses appréhensions trouvent rapidement une justification : à peine franchie la frontière russe, les infortunés musiciens sont extraits de leur train par la police et jetés dans une prison vétuste sous l'accusation d'espionnage ! Pour un peu, le prince de la valse serait fusillé si la tzarine, qui séjourne alors à Varsovie, n'était intervenue à temps pour le sauver. La suite du voyage est plus heureuse. Le public russe est charmé par cette musique tendre, aux effluves romantiques, qui le change si agréablement des flonflons grossiers auxquels il est accoutumé. Le tzar Alexandre II manifeste également son admiration à Johann. A la stupéfaction du public, le propre frère de l'empereur, le grand-duc Constantin, bon violoncelliste amateur, sollicite comme une faveur de jouer dans l'orchestre viennois. Le climat, on le voit, est très chaleureux ; Johann est le personnage à la mode, aussi bien à la cour que dans les autres classes de la société. A présent, il ne regrette plus d'avoir quitté sa chère ville de Vienne, d'autant moins que les admiratrices se bousculent pour l'approcher. Dans la résidence qui lui a été attribuée, les gerbes de fleurs s'amoncellent, apportées par des mains féminines. Comment résister à toutes ces tentations ? Johann n'y songe pas, ce qui lui vaut parfois quelques mésaventures. Ainsi, il fait la connaissance de la fille d'un important négociant et lui manifeste un certain intérêt ; la jeune personne et sa famille prêtent alors au musicien des intentions conjugales qu'il est loin de nourrir. Pourtant, la date du mariage est fixée, et Strauss se demande comment se tirer de ce mauvais pas. Le stratagème qu'il emploie est digne d'un roman policier. Un soir, lors d'une réception chez ses « futurs beaux-parents », des envoyés de l'ambassade d'Autriche font irruption et, malgré ses protestations, l'entraînent avec eux. Bien entendu, il s'agit d'un faux enlèvement, mis au point entre les « agresseurs » et leur « victime ». Strauss demeure enfermé à l'ambassade durant plusieurs jours, le temps que ses « fiançailles » redoutées soient rompues.

Une autre aventure amoureuse attend Johann, qui va le marquer profondément. Olga Swirvitzki appartient à une famille de la grande bourgeoisie. Elle a 20 ans, un regard de braise et, surtout, une personnalité complexe qui attire

Sissi fait son entrée à Vienne, à la veille de son mariage avec l'empereur.

Johann tout en le déroutant. L'intérêt évident du célèbre musicien viennois flatte Olga, qui se livre avec délice au jeu du chat et de la souris. Johann se sent désarmé ; il se jure parfois de la fuir, mais, le lendemain, il retrouve une Olga plus séductrice que jamais et retombe dans ses filets. Elle a pris sur lui un tel ascendant que la musique elle-même passe au second plan.

Ainsi, pendant tout son séjour à Pavlosk, Johann passe alternativement de l'inquiétude à l'espérance. Les deux jeunes gens font de longues promenades dans la campagne ou échangent des lettres qu'ils déposent dans le creux d'un vieux chêne. On ne saurait être plus romantique… Leurs conversations se déroulent toujours en français ; c'est, à l'époque, non seulement la langue des cours, mais aussi celle des cœurs. Johann voudrait lier son existence à celle de la jeune fille, mais les Swirvitzki n'accepteront jamais qu'un artiste entre dans leur famille. Même s'il s'agit du plus célèbre musicien d'Europe, ce n'est toujours qu'un saltimbanque, et Olga partage ce point de vue. A la fantaisie, au charme, au talent de Jean – comme elle l'appelle –, elle préférera un mariage sans attrait et sans joie avec un homme de son monde. Quand Johann regagne Vienne, il ne se fait guère d'illusions, malgré les promesses de la jeune fille. Olga l'a-t-elle aimé ou la petite fille capricieuse qu'elle est a-t-elle simplement voulu se faire les griffes ? Quoi qu'il en ait été,

le passage d'Olga dans la vie de Strauss l'aura profondément marqué. Sa musique va refléter les épisodes de son aventure amoureuse, certaines de ses valses épouseront les soubresauts qui l'ont caractérisée, mêlant des pages d'une vive sensualité aux élans de la plus pure tendresse.

De retour à Vienne, Johann, qui a pris le goût du luxe en Russie, n'est plus tout à fait le même qu'avant de quitter la capitale. Si les salles de bal se disputent son orchestre, les salons réclament à présent le jeune musicien. Il est devenu un hôte assidu de l'hôtel du baron Moritz Todesco, sur le Ring – l'élégante promenade de Vienne. Le baron Todesco est un personnage typique de la nouvelle société. Sa fortune lui permet de jouer les mécènes et de tenir table ouverte pour tous ceux qui servent la vie artistique de la capitale. Auprès de lui, une belle jeune femme aux manières distinguées et au goût sûr veille sur la marche de sa maison et sur l'ordonnance de ses soirées : Jetty Treffz, qui s'est illustrée quelques années plus tôt en devenant l'une des étoiles de l'Opéra de Vienne, mais qui a abandonné sa carrière lyrique pour se consacrer à sa nouvelle vie avec le baron Todesco. Cette liaison sans nuages, couronnée par la naissance de deux filles, n'a pas été officialisée par un mariage, car Jetty est catholique tandis que Todesco est juif – à cette époque, le mariage civil n'existe pas. Le couple n'en coule pas moins des jours heureux.

Dans cette société élégante, Johann se sent tout à fait à l'aise ; il ne ressemble plus à l'adolescent timide, paralysé par le trac, qui dirigeait son premier concert quelque quinze années plus tôt. Mais le souvenir des privations qu'Anna s'est imposées pour le mener où il se trouve est toujours présent à sa mémoire, et sa mère conserve auprès de lui un rôle prépondérant. Johann n'a pas oublié ses débuts difficiles, mais il entend profiter de l'aisance qu'il a acquise, et il répond volontiers aux sollicitations mondaines dont il est l'objet.

La folle ronde du carnaval,
représentée ici de manière bien vivante.

Johann a évolué sur le plan musical. Les œuvres de Liszt et de Wagner lui ont ouvert de nouvelles perspectives. Il veut faire de la valse une composition complète, riche en variations de toutes sortes et capable de rivaliser avec la grande musique. Pour commencer, ses introductions sont devenues plus ambitieuses. Toutefois, il ne doit pas oublier qu'il écrit avant tout pour des danseurs. On comprend la difficulté de sa tâche s'il veut allier une musique de caractère sympho-

nique à une danse qui doit rester populaire. Strauss parvient pourtant à résoudre ce problème en élargissant les parties intérieures de la valse : au lieu de multiplier les thèmes, c'est la mélodie proprement dite qu'il enrichit et développe. Chez son père, le thème restait fidèle à la forme populaire des valses allemandes et dépassait rarement seize mesures. Johann va composer des valses plus longues qui, tout en invitant à la danse, peuvent être écoutées comme de véritables pièces symphoniques. Il donne ainsi à la valse ses lettres de noblesse, que ni Johann Ier ni Joseph Lanner, malgré la générosité de leur inspiration, n'avaient su lui offrir. Ces innovations, en même temps qu'elles confirment son succès, lui valent auprès des spécialistes une considération qu'ils n'accordaient pas, jusqu'alors, aux compositeurs de valses, considérés comme des musiciens de second ordre. La consécration officielle va suivre : en 1863, Strauss obtient ce poste de directeur des bals de la cour qu'on lui avait précédemment refusé. La fonction est plus honorifique que rémunératrice, mais elle satisfait l'orgueil de Johann.

Une nouvelle rencontre va tout à la fois changer la vie de Strauss et l'encourager à donner à son écriture musicale une forme plus personnelle. Nous avons vu qu'il entretient des rapports privilégiés avec le baron Moritz Todesco. Ce n'est pas tellement ce dernier qui attire le musicien dans son somptueux hôtel de la Ringgasse, mais plutôt sa compagne, Jetty Treffz ! Elle est à l'origine des fréquentes invitations adressées à Johann. Sans doute est-elle tombée amoureuse de ce beau garçon de dix années plus jeune qu'elle. Souvent, au cours des réceptions qu'elle donne, Strauss et elle se tiennent à l'écart et s'octroient de longs tête-à-tête. Le fait mérite d'être souligné, car Johann n'est pas tellement à son aise dans l'art de la conversation. Tout entier tourné vers la musique, il n'a qu'une culture limitée. Mais Jetty a une âme d'artiste et une sensibilité qui lui permettent d'appréhender les secrets de la nature tourmentée du jeune homme. La musique n'est-elle pas aussi son domaine, bien qu'elle ait renoncé à l'art lyrique pour se consacrer à son riche protecteur ? Enfin, elle a bien du charme, des yeux très doux et une chevelure magnifique qui couronne un visage expressif. Alors, qu'importe la différence d'âge ! Au contraire, cette maturité a quelque chose de rassurant et change Johann de ses éphémères conquêtes habituelles.

Après quelques semaines de résistance, Jetty devient la maîtresse de Johann. Mais elle ne supporte pas cette situation équivoque et préfère tout avouer à Todesco. Ce dernier fait alors preuve d'une élégance plutôt rare en de telles circonstances : non seulement il rend sa liberté à sa compagne, mais encore il lui assure son avenir en la dotant somptueusement. Jetty et Johann se retrouvent donc libres de suivre les penchants de leur cœur et de sanctifier leur amour par un mariage.

Johann Strauss et Jetty, sa première épouse,
qui fut aussi son inspiratrice.

La demeure des Strauss à Hietzing.

Au milieu de la liesse générale, il y a quand même une note discordante : Anna ne considère pas d'un œil favorable l'union de son fils avec une femme plus âgée que lui. Surtout, elle comprend que l'influence qu'elle exerce sur Johann va prendre fin. Elle sent que Jetty est de la même race qu'elle : une maîtresse femme, de taille à prendre en main le destin de son mari dans tous les domaines.

En raison de la récente liaison de Jetty avec le baron Todesco, le mariage a lieu dans une semi-clandestinité, avec pour seuls témoins Anna et Carl Haslinger, l'éditeur de Strauss. Si Anna fait grise mine, Haslinger n'est pas plus joyeux : il redoute que la prospérité matérielle que va connaître désormais le musicien ne coupe les ailes de son inspiration. En effet, grâce à la générosité de Todesco, Jetty apporte à son époux une coquette fortune qui le met à l'abri du besoin. Dans la jolie maison que Jetty a achetée, à Hietzing – un faubourg élégant de Vienne, voisin du château de Schönbrunn –, elle a aménagé un bureau qui donne sur le jardin. Pendant plus de quinze ans, le compositeur y composera les chefs-d'œuvre qui lui assureront une renommée qui perdure. Jetty a meublé la demeure avec raffinement, l'embellissant de bibelots précieux et de tableaux de prix. Ce foyer, à la fois intime et luxueux, est pour Johann un refuge propice à l'inspiration. Il en sort le moins possible, consacre ses nuits à écrire de la musique et ses après-midi à la jouer devant Jetty. Celle-ci se révèle une collaboratrice précieuse, suggérant certaines corrections ou, au contraire, approuvant sans réserve. Ainsi, au-delà de l'amour, les liens se resserrent davantage entre les deux époux.

C'est en grande partie parce qu'il a enfin trouvé la quiétude et l'équilibre dont il avait besoin que la deuxième partie de la carrière de Strauss sera marquée par ses valses les plus fameuses.

A présent, Johann s'est à peu près libéré des servitudes de la direction d'orchestre. Joseph et Eduard, le petit dernier de la famille, se chargent de perpétuer la gloire de la formation Johann Strauss, aussi bien à Vienne que dans les pays étrangers. Mais si l'unique souci de Joseph est de servir la renommée de son frère aîné, il n'en va pas de même pour Eduard. De dix ans plus jeune que Johann, il lui déplaît de jouer les utilités. Avec les années, la jalousie qu'il éprouve vis-à-vis de son frère se transformera en une véritable rancune, qui le poussera aux pires inconséquences. Mais pour l'instant, rien, pas même les discussions familiales, ne saurait mettre un frein à l'ardeur créatrice de Strauss, grâce auquel la valse va atteindre à la perfection que nous lui connaissons.

Cette fécondité dont Strauss va témoigner à partir de ce jour nous conduit à bousculer quelque peu la chronologie de ce récit afin de suivre de plus près l'évolution de la valse et d'analyser tout ce que l'inspiration du musicien lui a apporté.

On cite avec raison *Le Beau Danube bleu* comme le sommet de la pyramide straussienne, mais d'autres œuvres méritent tout autant d'être mentionnées pour leur originalité comme pour leur richesse harmonique. Ainsi, dans *Les Feuilles du matin* (valse de circonstance composée pour la fête annuelle de l'Association des journalistes), Johann ne développe la mélodie qu'au quatrième motif, procédé qu'il utilisera encore dans *Les Histoires de la forêt viennoise* et *Aimer, boire et chanter*. Dans cette dernière valse, Strauss atteint vraiment à la pleine possession de son art. C'est d'abord une longue introduction de quatre-vingt-onze mesures, d'une vigueur saisissante, qui constitue un morceau indépendant. Après quoi, quatre airs de valse s'enchaînent les uns aux autres ; chacun raconte une histoire, évoque un paysage, menant tout doucement à la danse, ou plutôt aux danses, car il y en a plusieurs qui bifurquent, chacune de son côté, tandis que revient souvent le motif chromatique du début. La fin, en apothéose, est basée sur la cellule originale de l'ensemble, avec une descente par degrés : mi bémol, ré, do. Une autre valse célèbre, *La Vie d'artiste*, s'inspirera de la même technique, mais toutes ces œuvres, si elles suivent une progression parallèle, se présentent avec leurs couleurs propres et leur propre mode d'expression.

Quant à *La Valse de l'empereur*, elle occupe une place à part dans l'œuvre de Strauss. Dès l'introduction, c'est une marche solennelle dont l'amplitude évoque la pompe de la cour impériale. Puis le premier thème de valse se développe, lyrique, reflétant l'hommage que le musicien a voulu rendre à son souverain. Strauss a écrit cette pièce pour le jubilé de l'empereur, et le dernier thème se présente donc comme une conclusion grandiose. De toutes les œuvres du compositeur, cette valse est celle dont le caractère symphonique est le plus marqué. Jamais, sans doute, Strauss n'a manifesté davantage qu'ici l'étendue de son inspiration, ce qui explique le magnifique jugement du critique William Ritter, qui désignait *La Valse de l'empereur* comme « la plus belle fleur que l'arbre fantastique de la musique de Strauss ait jamais produite ».

Mais, quel qu'ait été le succès rencontré par les grandes valses de Johann Strauss, c'est surtout *Le Beau Danube bleu* qui est passé à la postérité. Il suffit d'en prononcer le titre magique pour qu'aussitôt la plupart des gens se mettent à fredonner quelques notes de cette danse voluptueuse, et cela depuis 1867. Car cette œuvre symbolise le triomphe de la valse sous tous les cieux du monde.

Portrait très officiel de Johann Strauss au temps de la maturité.

Pourtant, il s'en est fallu de peu que cette valse ne demeurât au fond du tiroir où Johann l'avait jetée. En effet, lorsqu'au mois de février 1867 il la joue en public pour la première fois, ce ne sont pas des bravos qui l'accueillent, mais plutôt des rires moqueurs de l'auditoire. Que s'est-il passé pour que le roi de la valse reçoive un tel camouflet ? Tout simplement ceci : Johann Herbeck, chef d'une chorale viennoise, a demandé au compositeur une musique sur laquelle il compte faire écrire des paroles. Il charge de cette mission un certain Joseph Weyl, fonctionnaire de son état et poète à ses moments perdus. Hélas ! ce « poète » a de curieuses inspirations, et, voulant célébrer l'installation des premières lampes à arc électrique dans les rues de Vienne, il s'est servi de la musique du *Beau Danube bleu* pour accompagner les vers suivants :

« Vienne, sois joyeuse !
Pourquoi donc ?
A cause de la lumière de l'arc !
Ici il fait encore sombre. »

On imagine l'effet qu'a produit une chorale de douze cents hommes se mettant à hurler en musique de pareilles inepties ! Strauss est furieux et met la partition du *Beau Danube bleu* de côté en faisant le serment de ne plus jamais l'interpréter. Heureusement, le succès qu'a remporté une autre de ses valses, *La Vie d'artiste*, quelques jours plus tôt, le console de ce fiasco.

Sa bonne étoile va toutefois lui offrir la plus savoureuse des revanches. A l'occasion de l'Exposition universelle de Paris, au printemps 1867, la capitale de la France s'est transformée en une véritable tour de Babel. Des milliers de visiteurs déferlent chaque jour sur le Champ-de-Mars, où se tient la manifestation, et toutes les têtes couronnées d'Europe ont accouru à Paris. L'ambassadeur d'Autriche, Richard de Metternich, le fils de l'ancien chancelier, a décidé de profiter des circonstances pour amorcer un rapprochement avec la France, afin de contrebalancer la puissance montante de l'Allemagne. Pour offrir de son pays une image séduisante, Pauline de Metternich, la femme de l'ambassadeur, s'est assuré le concours de Johann Strauss. Sa musique a fait le tour de l'Europe, et ses valses sont aussi célèbres à Paris qu'à Vienne. Le compositeur est donc invité à venir se produire dans la capitale avec ses musiciens. Malgré sa phobie des voyages, Johann n'a pas hésité à accepter l'invitation, et, comme jadis son père, il s'apprête donc à conquérir la ville la plus prestigieuse de l'univers.

C'est une réception digne d'un roi que les Metternich lui ont réservée. L'empereur Napoléon III et l'impératrice Eugénie honorent la soirée de leur présence, et leurs applaudissements disent assez à Strauss combien ils l'apprécient. Après le spectacle, l'empereur des Français a tenu à féliciter le musicien, et les deux hommes s'entretiennent un bon moment. On assiste alors à une scène pour le moins inattendue : alors que Napoléon III, élevé à Zurich, n'a jamais pu se débarrasser de son accent germanique, Johann, lui, parle un français parfait, sans la moindre intonation étrangère ; si bien qu'on pourrait prendre l'Autrichien pour un Français et l'empereur des Français pour un Autrichien !

Villemessant, directeur du nouveau journal *Le Figaro*, figure également parmi les invités de l'ambassadeur Metternich ; lui aussi est enthousiasmé et insiste pour que Strauss donne un nouveau concert. Quelques jours plus tard, au sein même de l'Exposition, sous un chapiteau monté à cet effet, l'orchestre se produit. Le succès confine au délire ; pour répondre à la pression du public après son programme officiel, Strauss doit bisser une quantité de morceaux. Au bout d'un moment, il a épuisé toutes ses partitions. Fouillant dans ses cartons par acquit de conscience, il redécouvre alors *Le Beau Danube bleu* : c'est Jetty qui l'a glissé dans les papiers de son mari avant son départ.

C'est de Paris que partit le succès du Beau Danube bleu.

Sans trop d'enthousiasme – il se souvient de son premier essai –, Strauss donne à ses musiciens le signal du départ... L'accueil qu'il reçoit est tel qu'il doit jouer le morceau vingt fois de suite ! Le lendemain, tout Paris fredonne la valse, et Johann doit la jouer chaque fois qu'il se produit en public. Le prince de Galles – le futur Édouard VII –, qui l'a également entendue, invite Strauss en Angleterre où, comme son père autrefois, il est applaudi par la reine Victoria.

Le succès du *Beau Danube bleu* gagne l'Europe entière, puis l'Amérique, et bientôt les imprimeries musicales n'arrivent plus à satisfaire les commandes qui arrivent de tous les coins du globe.

Hector Berlioz (1803-1869)

Berlioz a été un homme de passion, ainsi qu'en témoigne sa musique. Il renonce à ses études de médecine pour suivre sa vocation, ce qui lui vaut d'être privé de la pension paternelle et d'être maudit par sa mère. Un soir qu'il est à l'Odéon, où il assiste à une représentation de *Hamlet* par une troupe anglaise, il tombe éperdument amoureux de l'actrice qui interprète le rôle d'Ophélie, Harriet Smithson. Dès cet instant, il ne pense plus qu'à elle, multipliant les déclarations d'amour et allant jusqu'à louer une chambre en face de la sienne, afin de pouvoir mieux la voir. Harriet le prend d'abord pour un fou, puis se laisse séduire. Berlioz change alors de sentiments et se fiance avec une jeune pianiste, Camille. Celle-ci ayant rompu leurs fiançailles, Berlioz décide de la tuer ainsi que sa mère, avant de se suicider. Heureusement, il renonce à ce projet et revient à Harriet. Leur aventure se terminera par un mariage… qui les rendra également malheureux l'un et l'autre.

Malgré le succès de ses œuvres, sa carrière de critique musical (au *Journal des débats*) sera la principale source de revenus de Berlioz sa vie durant.

Hector Berlioz accueillit avec intérêt
la musique de Johann Strauss.

Johannes Brahms fut l'ami intime de Johann Strauss.

Un autre contemporain célèbre : Giuseppe Verdi.

Johannes Brahms (1833-1897)
Vingt et une *Danses hongroises* (1852-1869). *Liebeslieder Walzer* (1868-1869). *Concerto en ré mineur* (1861). *Sérénade en ré* (1857-1858). *Sérénade en la* (1857-1860). Nombreux lieder (1852-1861). *Deutsche Volkslieder* (1854-1858).

Franz Liszt (1811-1886)
Dix-neuf *Rhapsodies hongroises* (1846-1885). *Sonate en si mineur* (1853). Légendes de *Saint François d'Assise* et de *Saint François de Paule* (1865). *Messe du couronnement* (1867).

Ambroise Thomas (1811-1896)
 Mignon (1866). *Hamlet* (1868).

Giuseppe Verdi (1813-1901)
Nabucco (1842). *Ernani* (1844). *Rigoletto* (1851). *Il Trovatore (Le Trouvère)* (1853). *La Traviata* (1853). *Les Vêpres siciliennes* (1855). *Simon Boccanegra* (1857). *La Force du destin* (1862). *Hymne des nations* (1862).

Richard Wagner (1813-1883)
Tristan et Ysolde (1859). *L'Or du Rhin* (1869). *La Walkyrie* (1870).

Page de gauche : Le Cerf Rouge, établissement célèbre sur le Prater.

Johann Strauss fut un des rares musiciens appréciés de Wagner.

1850

• *15 mars.* La loi Falloux supprime le monopole de l'université d'État.

• *Septembre-octobre.* Le prince-président passe de nombreuses revues militaires au cours desquelles on crie « Vive l'empereur ».

1851

• *20 août.* Abolition de la Constitution autrichienne.

• *2 décembre.* Coup d'État de Louis Napoléon. Dissolution de l'Assemblée nationale. Morny nommé ministre de l'Intérieur.

• *4 décembre.* Fin de la résistance au coup d'État. Victor Hugo part pour l'exil.

• Vingt-huit mille personnes sont arrêtées.

• *21-22 décembre.* Par référendum, la présidence de Louis Napoléon pour dix ans est approuvée.

1853

• *30 janvier.* Mariage de Napoléon III et d'Eugénie de Montijo.

• *20-21 novembre.* Plébiscite pour la restauration de l'Empire.

• *2 décembre.* Napoléon III s'installe aux Tuileries.

1854

• Début de la guerre de Crimée.

1855

• Prise de Sébastopol par le général Pélissier. Mac-Mahon s'empare de la tour de Malakoff.

1856

• *16 mars.* Naissance du prince impérial Eugène Louis Napoléon.

• *30 mars.* Traité de Paris, qui marque la fin de la guerre de Crimée et entérine la victoire des Alliés sur la Russie.

1858

• *14 janvier.* Attentat contre Napoléon III.

• *21 juillet.* Entrevue secrète de Plombières. Napoléon III promet son aide contre l'Autriche au roi de Sardaigne. En échange, la France recevra la Savoie et Nice.

1859

• Guerre franco-autrichienne et défaite de l'Autriche.

1860

• *15-22 avril.* Nice et la Savoie votent leur rattachement à la France.

• *18 septembre.* Abraham Lincoln est élu président des États-Unis.

1861

• *Février.* Sécession de onze États du sud des États-Unis.

• *3 mars.* Le tzar Alexandre abolit le servage en Russie.

• *15 mars.* Victor-Emmanuel est proclamé roi d'Italie.

• *6 juin.* Avènement de Guillaume Ier en Prusse.

1862

• La France poursuit sa campagne au Mexique.

Solferino, Magenta, Sadowa

En 1859, la France soutient la cause du roi de Sardaigne, qui aspire à réaliser l'unité italienne, contre l'Autriche. Les troupes françaises infligent à quelques semaines d'intervalle deux sévères défaites à l'armée autrichienne, à Magenta et à Solferino. Lors de cette dernière bataille, l'hécatombe est telle qu'un journaliste suisse, Henri Dunant, a l'idée d'un organisme neutre dont l'action consisterait à porter secours aux blessés : ce sera la Croix-Rouge.

En 1866, l'Autriche est également mise en échec par la Prusse, à Sadowa. La Prusse n'assortit sa victoire d'aucune revendication territoriale, mais, désormais, l'Autriche doit se contenter d'un rôle de second plan sur le théâtre germanique, tandis que se prépare l'Empire allemand qui sera proclamé au lendemain de la victoire sur la France, en 1870.

A gauche : l'empereur François-Joseph fit de Johann Strauss le directeur de la musique de la cour.

A droite : l'impératrice Élisabeth, dite Sissi, fuyait souvent la cour et son étiquette.

1865

- *14 avril.* Assassinat du président Lincoln par le sudiste J. W. Booth. Fin de la guerre de Sécession après la victoire du Nord.

1867

- *1ᵉʳ avril-31 octobre.* Exposition universelle de Paris.
- *19 juin.* L'empereur Maximilien est fusillé au Mexique.
- *2 octobre.* Rome est annexée au royaume d'Italie.
- *29 octobre.* La Cochinchine devient colonie française.

1868

- François-Joseph est couronné roi de Hongrie.

1869

- *17 novembre.* Inauguration du canal de Suez par Ferdinand de Lesseps.

1870

- *2 janvier.* Ministère Émile Ollivier et fin de l'Empire autoritaire.
- *19 juillet.* La France déclare la guerre à la Prusse.
- *2 septembre.* Capitulation de Napoléon III à Sedan.
- *4 septembre.* Proclamation de la république.

1864

- *10 avril.* L'archiduc Maximilien d'Autriche est proclamé empereur du Mexique.
- *9 mai.* Vaincu par l'Allemagne, le Danemark lui cède le Schleswig-Holstein.
- *2 septembre.* Prise d'Atlanta par le général nordiste Sherman.

Ombres et Lumières

L'année 1867 s'achève. Avec le succès du *Beau Danube bleu* et de quelques autres valses comme *Aimer, boire et chanter*, Johann Strauss démontre que, à près de 45 ans, il a acquis la parfaite maîtrise de son art. On a vu qu'il s'est délesté de ses obligations de chef d'orchestre sur ses deux frères, Joseph et Eduard. Mais si le premier sert la gloire de son aîné avec une complète abnégation, le second, également très doué pour la musique, répugne à remplir ce qu'il considère comme une tâche subalterne. Eduard estime qu'une bonne part des lauriers de Johann devrait lui revenir, puisqu'en demeurant dans l'ombre de son frère il permet à ce dernier de mieux briller sous les lumières de l'actualité. A plusieurs reprises, les deux frères ont de violentes altercations, et Johann doit de plus en plus souvent user de toute son autorité pour ramener Eduard dans la voie de la raison.

Les trois frères Strauss : Eduard, Johann et Joseph, dont les relations furent souvent houleuses.

Ce frère indiscipliné n'est pas le seul sujet de préoccupation pour Johann. Son mariage avec Jetty bat de l'aile. A l'amour des premières années a succédé une sorte de tendre association. Jetty continue de veiller sur la quiétude de Johann et sur son confort quotidien, elle continue de l'aider et de le conseiller, bref, elle est pour lui une partenaire idéale, mais rien de plus… Johann s'est laissé reprendre par ses démons familiers, et les aventures succèdent aux aventures. Aux yeux du musicien, aucune de ces aventures ne revêt la moindre importance, mais chacune d'elles creuse une blessure de plus dans le cœur de Jetty. Pourtant, le couple s'efforce de conserver une harmonie qui donne le change à son entourage.

Pour Johann, le bonheur est le chemin obligé par lequel passe l'élaboration de son œuvre. Mais, un premier coup du sort s'abat sur lui. Au cours de l'année 1869, Anna – la mère affectionnée, l'ange gardien qui lui a permis de s'exprimer et de se révéler, qui a toujours veillé sur lui avec la même attention passionnée – disparaît. Johann est bouleversé. Comme il le fera également plus tard dans d'autres circonstances semblables, sa réaction consiste à fuir devant l'épreuve : il n'a pas le courage d'assister aux obsèques de sa mère et délègue Jetty à sa place. Pendant plusieurs mois, l'absence d'Anna le fait si cruellement souffrir qu'il est dans l'incapacité d'écrire de la musique – Joseph, très atteint lui aussi, perd le goût de la composition.

Une autre épreuve attend Johann. Au début du printemps 1870, Joseph repart pour la Russie avec l'orchestre. C'est devenu une véritable tradition : la société élégante de Saint-Pétersbourg ne saurait plus se passer de la musique des Strauss. Depuis quelques années, Johann a renoncé au déplacement par crainte du voyage et délègue son frère à sa place. Joseph est certes sensible à l'accueil chaleureux qui lui est réservé à chaque fois qu'il se rend à Pavlosk, mais, peu sensible aux charmes des autres femmes, ce n'est pas sans un serrement de cœur qu'il se sépare de la sienne. Le 20 avril, quand il arrive à Varsovie, première étape de la tournée, il se trouve confronté à une difficulté imprévue : plusieurs de ses musiciens ont fait défection. Alerté par télégramme, Eduard lui envoie des remplaçants, et les trois premiers concerts se déroulent tant bien que mal. Mais, lors du quatrième concert, le premier violon manque son entrée, semant la pagaille dans l'orchestre. Joseph se démène comme un beau diable pour essayer de rétablir un peu d'ordre, quand, soudain, il porte les mains à sa tête, s'effondre et tombe de son estrade, heurtant durement le sol. Il est transporté à son hôtel, où les médecins diagnostiquent une commotion cérébrale. Deux jours plus tard, son épouse accourt à Varsovie, en compagnie de Johann. Joseph a repris conscience, mais le pronostic médical demeure réservé. Au cours des semaines qui suivent, l'état de Joseph s'améliore, au point qu'il fait des projets d'avenir, mais, un matin, il sombre brusquement dans le coma. Sa femme, qui espère que les médecins de Vienne sauront mieux le soigner que ceux de Varsovie, réussit à le ramener chez lui. Hélas ! cet ultime voyage est fatal à Joseph, qui succombe le 22 juillet à l'âge de 43 ans.

Sitôt après sa disparition, les bruits les plus fantaisistes se mettent à circuler. Un journal prétend que le malheureux Joseph a été agressé par des officiers russes, qu'il était déjà mort à Varsovie et que c'est son cadavre que son épouse a rapporté à Vienne. Naturellement, Johann dément énergiquement cette rumeur infondée. Il est bouleversé par la disparition de Joseph. Il aimait tendrement son frère et s'adresse des reproches ; s'il était allé lui-même diriger l'or-

Johann Strauss dirigeant Le Beau Danube bleu, *dont il n'avait pas imaginé la renommée mondiale…*

chestre, peut-être Joseph serait-il toujours de ce monde ? Par ailleurs, il s'inquiète sur le plan professionnel : il ne pourra plus désormais compter que sur Eduard, à moins qu'il fasse appel à des éléments extérieurs à la famille, ce qui ne le tente guère. L'orchestre Strauss ne sera plus jamais comme avant.

Si Strauss est le maître incontesté de la valse, il a quand même, en Europe, un rival en popularité : c'est Jacques Offenbach, qui règne sur l'opérette. Rival débonnaire, qui ne prend nullement ombrage des succès des autres, celui-ci a été le premier à conseiller à Johann d'écrire lui aussi des opérettes. L'idée ne séduit guère Johann. Il connaît mal le théâtre, et son inspiration le pousse davantage vers la musique orchestrale que vers le chant. Dans ces conditions, pourquoi s'aventurer dans un domaine qui ne lui est pas familier ?

Il faudra un véritable complot pour le décider, fomenté par Jetty et Max Steiner, l'impresario du fameux Theater-an-der-Wien. Jetty a conservé pour le théâtre une certaine nostalgie et, ne pouvant plus elle-même remonter sur scène, elle aimerait goûter de nouveau à ses joies par personne interposée. Quant à Max Steiner, en homme d'affaires habile, il a flairé la bonne opération : le seul nom de Strauss suffirait à remplir son théâtre. Jetty et Steiner unissent donc leurs efforts pour convaincre Johann. Plus par lassitude que par conviction, Strauss accepte d'écrire une partition, qui se ressent toutefois du peu d'enthousiasme de son auteur. Il faut dire que le livret d'*Indigo et les quarante voleurs* est un ramassis de clichés et de plaisanteries grossières. Steiner lui-même en est l'auteur, et l'on comprend qu'il n'ait guère inspiré le musicien. Mais une fois encore, la magie straussienne agit : l'opérette connaît une carrière honorable, et la comparaison avec Offenbach est faite par tous les critiques. Au point que *La Gazette musicale de Leipzig*, qui déteste à la fois l'opérette et Offenbach, met Strauss dans le même panier : « Du reste, Vienne sera bientôt en mesure de confectionner, à son tour, des brouets aussi lamentables. Récemment, M. Johann Strauss, le fabricant de valses bien connu, a pondu, d'après la même recette, tout un opéra, intitulé *Indigo et les quarante voleurs*, et qui a déjà vingt-cinq représentations à son actif. » Au milieu d'une partition d'une grande platitude surgit pourtant, de temps à autre, un éclat qui rappelle la « patte » du maître.

Ces débuts si peu prometteurs ne découragent néanmoins ni Jetty ni Steiner. Et Johann se laisse convaincre d'effectuer un nouvel essai. Cette fois, Steiner lui a découvert un parolier encore plus médiocre que lui-même, ce qui n'est pas une mince performance. *Le Carnaval de Rome*, deuxième tentative théâtrale de Strauss, ne laissera pas non plus un souvenir impérissable.

En attendant de prendre, un jour, une revanche éclatante au théâtre, Johann Strauss reçoit une proposition aussi mirifique qu'inattendue, due à l'incroyable popularité du *Beau Danube bleu*. La ville de Boston organise en 1872 une vaste manifestation : le Festival de la paix. Pour la grande cité de l'est des États-Unis, jusque-là métropole intellectuelle du pays, c'est une occasion de retrouver cette place de premier rang que New York lui a ravie peu à peu. Comme d'habitude, au pays de l'Oncle Sam, le gigantisme préside à tous les projets. Pour cette jeune nation, ivre de sa puissance naissante, il s'agit de faire toujours plus grand, toujours plus fort, toujours plus audacieux. La venue de Johann Strauss, dans l'esprit des organisateurs, sera l'une des attractions sensationnelles du festival.

Reste évidemment à convaincre le compositeur de traverser l'Atlantique, ce qui n'est pas tâche facile. On connaît son appréhension dès qu'il s'agit de monter dans un train, la traversée de l'océan est donc proprement impensable. Certes, les nouveaux paquebots à vapeur qui relient l'Ancien au Nouveau Monde sont beaucoup plus sûrs et plus rapides que leurs prédécesseurs, mais cet argument ne suffit pas à dissiper les préventions de Johann. Jetty a beau lui faire ressortir l'intérêt à la fois culturel et commercial de ce voyage, qui servirait sa renommée et ouvrirait à la valse un vaste terrain de conquête, Johann demeure obstinément réfractaire au projet. Et pourtant, brusquement, il cède et signe le contrat qu'on lui propose. Que s'est-il produit pour justifier un tel revirement ? Quelle raison a pu le faire changer d'avis ? La plus vieille raison du monde : l'intérêt. Les organisateurs de Boston ont mis le prix pour aboutir à ce retournement de situation : un cachet de cent mille dollars ! De quoi apaiser toutes les craintes. Se méfiant des mœurs commerciales des Yankees, Johann a exigé de surcroît que cette somme mirobolante lui soit versée d'avance sur son compte à l'Anglo-Bank de Vienne. Et ses frais de voyage, ceux de Jetty, de son valet de chambre, de sa femme de chambre comme de son chien – un terre-neuve – seront à la charge de la ville de Boston.

Ayant obtenu la satisfaction de toutes ses prétentions, Strauss et les siens s'embarquent à Brême, sur le navire *Rhein*. Est-ce la perspective de son énorme cachet ? toujours est-il que, alors que la mer est mauvaise et que tous les autres passagers sont malades, Strauss supporte avec allégresse les treize jours de traversée.

Si New York n'est pas encore, à l'époque, la cité des gratte-ciel, les mœurs américaines en matière de communication ressemblent déjà à celles d'aujourd'hui. A peine débarqué, Strauss est la proie d'une nuée de journalistes qui lui réservent un accueil digne d'un phénomène de foire. Les questions les plus sottes, les plus indiscrètes voire les plus grossières lui sont posées. Profondément choqué par ces

L'Amérique elle-même succombe au charme viennois...

manières, qui le changent tellement de la culture de la vieille Europe, Strauss s'efforce de fuir les perturbateurs en s'enfermant dans sa chambre d'hôtel. Mais, une fois arrivé à Boston, il est bien obligé de sortir de sa retraite afin de remplir les exigences de son contrat. Son premier concert, à la tête d'un orchestre de deux mille musiciens et sous un immense hangar où se sont agglutinés cent mille spectateurs, n'a pas dû manquer de pittoresque, si l'on en croit le récit qu'il en fait à un ami : « Sur mon estrade s'alignaient derrière les membres de l'orchestre environ vingt mille chanteurs. Afin de me permettre de diriger cette foule, on m'avait adjoint cent sous-chefs de musique dont je ne distinguais évidemment que les plus rapprochés. Il y avait eu quelques répétitions, mais de là à faire œuvre d'art, il y avait un pas impossible à franchir. J'avais envie de m'en aller, seulement je n'en serais pas sorti vivant ! Me voilà donc devant ces cent mille Américains ! Soudain, un coup de canon éclate – une manière délicate pour me rappeler qu'il faut bien commencer. *Le Beau Danube bleu* est inscrit en tête de programme. Je donne le signal, mes cent adjoints m'imitent de leur mieux, et aussitôt se déclenche un tintamarre infernal. Je

...A Boston, en 1872, cent mille personnes se pressent pour voir, entendre et applaudir Johann Strauss.

concentre mes efforts sur un seul but : les faire finir plus ou moins en même temps. Dieu soit loué ! J'y suis arrivé ! »

Johann Strauss a raison de parler de tintamarre, car certains instruments de l'orchestre sont aussi insolites que le nombre de musiciens qui le composent ; on y trouve en effet des enclumes, des cloches d'incendie, des carillons de diverses sonorités, des morceaux de rails de chemin de fer suspendus à des cadres de bois sur lesquels on frappe à tour de bras ; il y a aussi une grosse caisse gigantesque de 6 mètres de diamètre ; enfin, c'est un coup de canon qui prélude à chacun des morceaux, introduction paradoxale pour annoncer les circonvolutions langoureuses de la valse. En outre, ce n'est pas une estrade classique qui a été offerte à Strauss pour diriger son ensemble pléthorique, mais une sorte de tour de plusieurs mètres de haut, d'où il semble faire le guet !

Néanmoins, en dépit de ces conditions extravagantes, Johann déchaîne l'enthousiasme à chacun de ses concerts. Protégé par une douzaine de policemen, il a bien du mal à parvenir jusqu'à sa « tour » tant l'ardeur de ses admirateurs est démonstrative. C'est à qui le touchera, lui tapera sur l'épaule, lui administrera de vigoureux shake-hands... Les femmes sont les plus déchaînées ; les boucles noires et frisées de la chevelure du musicien semblent les attirer particulièrement, et nombreuses sont celles qui réclament une mèche de cheveux de leur idole. Vu la multiplicité des demandes, Strauss a recours à l'aide... de son terre-neuve ! Des boucles noires prélevées sur le pelage du brave animal sont parfumées et glissées dans des enveloppes, comblant ainsi les désirs des admiratrices du maître !

Après Boston, Johann donne encore trois concerts à New York. A l'Académie de musique de cette ville, il a la satisfaction de diriger une formation qui ne compte « que » soixante-dix musiciens, ce qui lui permet de montrer enfin aux Américains ce qu'est un vrai chef d'orchestre ! Les morceaux les plus appréciés, outre l'inévitable *Beau Danube bleu*, sont *La Vie d'artiste* et *Pizzicata-Polka* ; mais il a aussi le plaisir de diriger les ouvertures de *Rienzi*, de Wagner, et de *Guillaume Tell*, de Rossini. Fin juillet, leur mission accomplie, Strauss et les siens s'embarquent enfin sur le steamer *Donau* – encore le Danube ! – en direction de Hambourg.

En débarquant à Hambourg, Strauss apprend qu'une épidémie de choléra sévit à Vienne. La nouvelle le terrifie – ses nerfs fragiles sont à la merci du moindre incident. Aussi décide-t-il de ne pas regagner la capitale autrichienne avant que tout danger soit écarté. Heureusement, sa popularité est telle que l'Allemagne est très heureuse de l'accueillir et de l'inviter à donner une série de concerts. L'empereur Guillaume Ier, qui passe l'été à Baden-Baden, insiste personnellement pour que le roi de la valse se produise au Casino d'été et, chaque soir, vient l'écouter avec un plaisir renouvelé. L'empereur a un morceau préféré : *Les Histoires de la forêt viennoise* ; pour le satisfaire, Strauss est parfois obligé de le jouer dix fois de suite ! Cette constance lui vaudra d'être décoré de l'ordre de l'Aigle rouge, la plus haute distinction germanique.

A Baden-Baden, entre ses représentations du soir, ses promenades dans le Kurpark et la cure thermale, Johann coule des jours paisibles. Jetty aussi est heureuse ; à présent qu'il est éloigné des tentations viennoises, son mari lui semble bien à elle. Ce n'est qu'une impression, car l'amour de Johann pour Jetty est bien mort ; leur différence d'âge, qui s'affiche maintenant de manière cruelle, a achevé d'éloigner Strauss d'une femme qui n'a plus d'attraits pour lui.

Lors de son séjour dans la célèbre ville d'eaux, Strauss fait la connaissance de Johannes Brahms ; entre ces deux grands musiciens, une vive amitié naît spontanément. L'admiration réciproque qu'ils se portent, les idées mélodiques qu'ils confrontent créent une complicité artistique qui ne cessera qu'à la disparition de Brahms.

Johann Strauss accueille son ami Johannes Brahms à Ischl.

Pendant qu'il se trouve en Allemagne, Strauss connaît une autre satisfaction, d'autant mieux appréciée qu'il ne l'attendait pas : l'une de ses opérettes, *La Chauve-Souris*, reçoit à Berlin un accueil enthousiaste, alors qu'elle n'a connu à Vienne qu'un succès limité. Cette fois, le livret n'a pas trahi la musique – il est vrai qu'il est inspiré d'une œuvre de Meilhac et Halévy, les collaborateurs habituels d'Offenbach. D'ailleurs, *La Chauve-Souris*, va être bientôt représentée à Paris, au théâtre de la Renaissance, et y connaître un succès encore plus grand qu'à Berlin. Déjà populaire grâce à son *Beau Danube bleu*, Strauss est à présent aussi aimé des Parisiens que des Viennois. Cette réussite, assez inespérée, réconcilie Strauss avec l'opérette. Dès son retour à Vienne, il donne le jour à quelques jolies partitions lyriques.

Lorsqu'il a pu s'appuyer sur un bon livret, Strauss a retrouvé la qualité de son inspiration ; il y a dans la partition de *La Chauve-Souris* des airs qui valent ses meilleures valses. La même réussite accompagnera, dix ans plus tard, la création du *Baron tzigane*, qui bénéficiera lui aussi d'un solide argument. Certes, pour ses autres ouvrages, Strauss n'a pas trouvé d'aussi bons livrets ; il n'en continuera pas moins d'écrire pour la scène jusqu'à son dernier jour. Il faut dire que les auteurs dramatiques se pressent à sa porte. Tous espèrent que le seul nom de Strauss suffira à assurer le succès de l'œuvre qu'ils lui proposent. Johann va donc commettre une quinzaine d'opérettes, qui s'ajoutent aux quatre cent soixante-dix-neuf morceaux d'orchestre créés par ailleurs. Chiffre impressionnant qui témoigne de la fécondité du compositeur. Notons que la musique qu'il compose pour la scène est plus résolument romantique que celle qu'il destine aux salles de bal et que son écriture se rapproche alors davantage du style italien que du style viennois. Parmi les pièces les plus représentatives de l'œuvre lyrique de Strauss, citons *Cagliostro* (1875), *Les Dentelles de la reine* (1880), *La Guerre joyeuse* (1881) et *Une nuit à Venise* (1883). A l'époque, le musicien est loin d'être dans sa prime jeunesse, mais ses partitions sont pleines de fraîcheur et de spontanéité. Naturellement, la valse y occupe une place de prédilection, tout en voisinant harmonieusement avec de grands morceaux de bravoure à la Verdi. Ainsi Strauss démontrera-t-il qu'il avait aussi l'étoffe d'un vrai compositeur lyrique. D'ailleurs, bien après sa mort, plusieurs ouvrages utiliseront des grands airs de son répertoire et de celui de son père pour habiller une aventure romanesque. Ce sera le cas, entre autres, d'opérettes comme *Trois Valses* ou *Valses de Vienne*, qui sont encore fréquemment représentées avec succès.

Quand il compose pour la scène, le sens de l'adaptation de Strauss est fantastique ; il sait se plier aux nécessités du théâtre, et son inspiration se prête à toutes les situations. Ainsi, pour *Les Dentelles de la reine*, Johann a dû composer

FLEDERMAUS QUADRILLES.

ON STRAUSS' NEW OPERA

La Chauve-Souris fut le plus grand succès lyrique
de Johann Strauss.

Si Strauss ne compte pas sur ses œuvres théâtrales pour rehausser encore son prestige, les coulisses du spectacle lui offrent d'autres avantages qu'il apprécie de plus en plus à mesure qu'il avance en âge ; il y fait de fréquentes rencontres féminines, auxquelles il n'attache d'ailleurs pas un intérêt exagéré, mais qui lui apportent comme un bain de jouvence. Pour Jetty, ces passades n'ont plus d'importance ; bon gré mal gré, elle a dû s'accoutumer aux frasques de son mari. Dans leur maison de Hietzing, les deux époux occupent chacun un étage différent, et Johann a perdu l'habitude de demander conseil à sa femme lorsqu'il écrit une nouvelle œuvre. En dépit de cette séparation affective, le couple sauve les apparences et entretient des rapports courtois.

Les changements survenus dans sa vie intime n'ont pas diminué la productivité de Johann. Outre ses opérettes, il écrit de nombreuses œuvres orchestrales ; citons, parmi les plus fameuses : *Cagliostro Walzer*, *Oh ! schöner Mai*, *Lagünn Walzer*, *Gross-Wien Walzer*, *Ritter Passman*, *Kaiser-Jubiläum Walzer*.

La valse Les Roses du Sud,
seul vestige de la partition de l'opérette
Les Dentelles de la reine.

une valse qui célèbre les grâces… du pâté aux truffes ! Il reprendra un jour sa valse « truffée », la débarrassera de ses paroles de circonstance, la rebaptisera du titre plus poétique de *Roses du Sud* et la dédiera au roi Humbert d'Italie !

Sans engendrer un engouement comparable à celui suscité par ses valses, la plupart des opérettes de Strauss sont suivies par un public nombreux dans le vieux Theater-an-der-Wein où elles sont présentées ; mais, le plus souvent, le texte et l'histoire ne sont pas à la hauteur de la musique. Le compositeur en a conscience, qui écrit à un ami, à propos d'*Une nuit à Venise* : « Le texte de cette opérette est si confus que, avec la meilleure volonté du monde, je ne pouvais y puiser la moindre inspiration. Une histoire ampoulée, bête à pleurer, et où la musique n'a rien à voir. Pas une seule fois, au cours de mon travail, je n'ai regardé les indications scéniques ou les dialogues. Bien entendu, il ne faudra le répéter à personne… J'espère que, d'ici quelque temps, on ne parlera même plus de cette malheureuse *Nuit à Venise*… » Cependant, la postérité se chargera de démentir ce pronostic pessimiste.

En revanche, l'équilibre intérieur de Johann a été fortement perturbé par sa rupture de fait avec Jetty. Des craintes irraisonnées, de sombres pressentiments l'assaillent de plus en plus fréquemment ; sa joie de vivre disparaît pour laisser place à une sourde angoisse. En réalité, en écartant Jetty de sa vie, il a perdu le seul être désintéressé, en dehors d'Anna, sur lequel il ait jamais pu compter.

4. LA FIN D'UN BEAU ROMAN

Un événement imprévu survient soudain dans le destin des Strauss. Un soir de 1876, alors que le musicien travaille sur la partition de *Prinz Methusalem*, une nouvelle opérette, Jetty fait irruption dans son bureau, le visage bouleversé. Elle tient à la main une lettre qu'elle tend à Johann pour qu'il la lise. Cette lettre, adressée à Jetty, émane d'un jeune homme qui prétend être son fils. Johann est interloqué ; il connaît bien entendu les deux filles que son épouse a eues du baron Todesco, mais il n'a jamais entendu parler de ce fils mystérieux. Questionnée, Jetty confirme son existence. Quelques jours plus tard, le jeune homme se présente à la maison de Hietzing, demande à voir « maman » et, sitôt en sa présence, dévoile les raisons de sa venue : il veut de l'argent. Strauss a vite fait de comprendre : ce fils dévoyé n'est qu'un maître chanteur. L'entretien tourne court, Strauss chasse l'intrus, lui ordonne de quitter Vienne sur-le-champ et de n'y plus remettre les pieds, sous

peine des plus graves désagréments. Jetty assiste à la scène, et n'essaie pas de s'interposer, mais elle souffre de la situation. Durant les mois qui suivent, le jeune homme ne cesse de la harceler d'incessantes demandes d'argent. Jetty s'efforce de dissimuler cette correspondance à Johann, mais chaque lettre la plonge dans une nouvelle angoisse, au point qu'elle n'ose plus ouvrir son courrier.

Le 9 avril 1877, Johann quitte de bonne heure la demeure de Hietzing, prétextant un déjeuner d'affaires en ville ; en réalité, il se rend à un rendez-vous galant. Un colporteur remet alors à Jetty une lettre de son fils, mais, cette fois, la demande d'argent est assortie de menaces : si Jetty n'obtempère pas, le maître chanteur révélera son existence à toutes les relations du couple et aux principaux journaux de la capitale. C'est plus que n'en peut supporter la pauvre femme : elle est victime d'une crise cardiaque foudroyante et s'écroule près de la porte d'entrée.

Scène de la vie viennoise : les buveurs de champagne.

La Sofiensaal pendant un concert de Johann Strauss.

A la nuit tombée, quand Johann rentre chez lui, il est surpris par l'obscurité qui règne dans la maison et heurte une masse inerte : le corps de l'infortunée Jetty. Sa réaction n'est pas à son honneur : épouvanté par sa macabre découverte, il s'enfuit en courant de la maison, sans même prendre la peine de transporter Jetty dans sa chambre. La mort lui a toujours inspiré une peur panique ; avec le temps, cela n'a fait que s'aggraver. Il s'est toujours efforcé de repousser l'idée de la mort, comme s'il se mettait ainsi à l'abri de son atteinte. Si sa musique est résolument tournée vers la joie de vivre, c'est qu'elle constitue à ses yeux une sorte d'antidote contre un sort funeste. De même, il s'est toujours refusé à rédiger un testament de crainte d'attirer le malheur sur lui. Et voilà que cette mort tant redoutée se dresse brusquement devant lui dans sa réalité implacable ! La disparition brutale de sa femme n'est-elle pas le signe annonciateur de sa propre fin ?

Johann hèle un fiacre et se fait conduire chez Eduard. Ce dernier, nous le savons déjà, nourrit pour son frère des sentiments très tièdes. Johann ne l'ignore pas et pourtant, dans son désarroi, c'est à lui qu'il demande de l'aide, le suppliant de « s'occuper de tout »… Malgré ses préventions contre lui, Eduard, sur le moment, est touché par la détresse de Johann et prend en charge les obsèques de la malheureuse Jetty. Par la suite, cet épisode viendra alourdir le contentieux qui l'oppose à son frère.

N'ayant toujours pas recouvré son sang-froid, après avoir quitté son frère, Johann se précipite à la gare centrale de Vienne et y prend un billet pour Venise. Il agit dans un état second, obsédé par le désir de mettre la plus grande distance entre la mort et lui. Confusément, dans son esprit égaré, il imagine que les lumières de l'Italie dissiperont les ténèbres qui l'entourent… et notamment l'image terrible du corps de Jetty gisant dans la nuit, abandonné sur le sol. Il lui faudra près de trois mois avant qu'il se décide à regagner Vienne, sans avoir écrit une seule note de musique. A Vienne, où son absence a soulevé des interrogations, l'orchestre Johann Strauss a continué à se produire à la Sofiensaal, sous la baguette d'Eduard Strauss.

Quand, au milieu de l'été, Johann regagne la capitale, il n'a pas le courage de se réinstaller dans la maison de Hietzing. Il a l'impression que Jetty l'y attend pour lui reprocher l'abandon dans lequel il l'a laissée. Il prend donc un appartement à l'hôtel Viktoria, dans la Kärntnerstrasse, et s'efforce de chasser les pensées lugubres qui l'obsèdent.

Tous ceux qui rencontrent Johann Strauss à son retour à Vienne sont frappés par le changement qui s'est opéré en lui. Certes, à 53 ans, il porte toujours beau, et sa chevelure, devenue grise, renforce encore la distinction naturelle de son personnage. Mais il y a dans son regard comme un désenchantement qui ne disparaît jamais. Les photographies et les portraits de Strauss datant des années 1880 trahissent d'ailleurs cette tension et ce sentiment d'angoisse. L'écrivain Ignatz Schnitzer, qui l'a beaucoup fréquenté alors, évoque dans ses souvenirs la métamorphose du musicien : « Johann n'est plus le garçon joyeux, insouciant qu'il était ; il ne prend plus aucun plaisir à ces réunions amicales qu'il appréciait tant, quelques années auparavant ; il s'est mué en un être mélancolique, perdu dans ses pensées. Même en société, il observe de longues périodes de mutisme et répond aux questions qu'on lui pose d'un air absent. »

Ce qui est paradoxal, c'est que cet homme refermé sur lui-même et qui fuit les mondanités écrit une musique toujours aussi joyeuse, aussi lumineuse, qu'il s'agisse de valses, de polkas ou de marches comme *Habsburg Hoch ! Marsch an der Wolga* ou *Wiener Frauen Walzer*, ou encore d'opérettes comme *Les Dentelles de la reine* ou *La Guerre joyeuse*. Le théâtre accapare désormais l'essentiel de sa production, comme si le climat des répétitions lui restituait un peu de ce goût de vivre qui semble l'avoir abandonné. Mais, sitôt quitté le théâtre, il retombe dans ses frayeurs intimes.

Deux incidents illustrent son état d'esprit troublé : le gouvernement hongrois, désireux de lui rendre hommage, lui consacre une semaine musicale et l'invite à la présider. Le compositeur accepte l'invitation, mais à la gare, au moment de prendre le train, il est saisi de frayeur et renonce à partir. Quelque temps plus tard, une exposition d'art égyptien se déroule à Vienne. Lors de l'inauguration, Strauss figure parmi les invités d'honneur. Soudain, il se trouve en présence d'une momie, dont la vue déclenche chez lui une véritable crise d'hystérie ; il s'enfuit à toutes jambes, laissant l'assistance stupéfaite.

Il est évident que la disparition brutale de Jetty a rompu l'équilibre dont Johann a joui pendant quinze ans. Ce qu'il lui faut, c'est une nouvelle compagne. Hélas ! la jeune femme dont Johann va s'enticher n'est pas du tout celle qui lui convient. Angelika Dittrich est certes ravissante, mais si elle a quitté sa ville natale de Cologne pour Vienne, c'est avec l'idée bien arrêtée de réussir par n'importe quel moyen. Actrice au talent médiocre, elle compte sur d'autres atouts. Sa chevelure blonde, sa carnation de fille du Nord, ses yeux d'un bleu céleste attirent tout de suite l'attention des hommes dans une ville où, en majorité, les femmes sont brunes et ont le teint foncé. Strauss ne va pas échapper à l'attraction de cette jeune femme de 26 ans.

Angelika est elle aussi descendue à l'hôtel Viktoria ; la première fois que Johann la voit, c'est dans le hall de l'établissement. Aussitôt, il tombe sous son charme, et Angelika ne fait rien pour le décourager. Depuis qu'elle est à Vienne, elle a cherché vainement un engagement, et sa rencontre avec l'illustre musicien est une chance qu'elle ne va pas laisser passer. Si Angelika – Lili, comme l'appelle Johann – n'a guère de talent sur scène, elle en a davantage dans la vie. Ayant flairé la bonne affaire, elle n'a qu'une idée en tête : se faire épouser. Elle n'a guère de mal à persuader le musicien qu'elle est follement éprise de lui. Flatté d'avoir, à 53 ans, séduit une beauté de près de trente années de moins que lui, Johann épouse la jeune femme le 27 mai 1878.

L'événement fait grand bruit à Vienne, notamment parmi les amis de Johann, qui, pour la plupart, sont loin d'approuver son choix. Mais, tout à son nouveau bonheur, Strauss n'en a cure. Désireux de rompre avec le passé, il n'a pas voulu réintégrer la maison de Hietzing, qui garde l'empreinte du souvenir de Jetty. Grâce à l'argent qu'il a gagné avec *La Chauve-Souris*, devenue un succès international, il a fait construire une élégante villa dans la Iglgasse. Il s'y installe avec Lili, et le couple connaît quelques mois de félicité. Car la jeune femme s'efforce de jouer les épouses modèles, et Strauss est très fier de se montrer avec cette ravissante per-

Joseph lui baise fort cérémonieusement la main. Pensant avoir reconstruit sa vie sur des bases solides, Strauss se remet au travail avec une ardeur décuplée, et sa production musicale redevient abondante. Mais cette activité laborieuse n'est pas du goût de Lili. Comme tous les êtres superficiels, elle ne trouve en elle aucune des ressources qui pourraient nourrir son esprit. La célébrité de son mari, qui dans les premiers temps a flatté son orgueil, provoque à présent sa jalousie. Elle se sent inutile auprès de ce grand homme et lui en tient rigueur. De plus, son manque d'éducation a éloigné les relations de Johann, et elle n'a pas d'amis. Donc, Angelika s'ennuie, et quand une femme comme elle s'ennuie, le dérivatif qu'elle recherche est facile à deviner. Lili ne va pas faire exception à la règle, comme on va le voir.

Un grand bal à la cour, dirigé par Johann Strauss.

*En bas, à gauche : Angelika Dittrich,
la deuxième épouse de Johann Strauss,
le rendit fort malheureux.*

*Johann Strauss ne connut pas avec ses opérettes
le même succès qu'avec ses valses.*

sonne à son bras. Sans doute certaines réflexions, certaines fautes de langage trahissent parfois les origines modestes d'Angelika, mais elle est assez séduisante pour que son mari passe sur ces petits défauts.

Devenu un personnage quasi officiel, Strauss est parfois appelé à diriger à Schönbrunn, devant la cour impériale. Il est également invité aux grandes réceptions officielles, et Angelika n'en croit pas ses yeux quand l'empereur François-

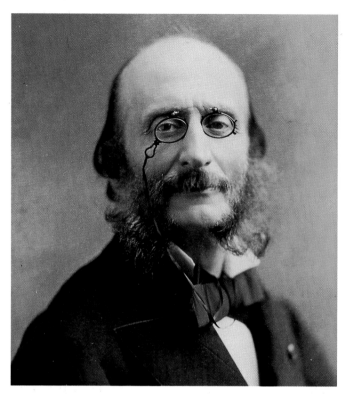

Jacques Offenbach poussa Strauss vers le théâtre.

Edmond Audran (1842-1901)
Le Grand Mogol (1876). *La Mascotte* (1880).

Georges Bizet (1838-1875)
Symphonie en ut (1855). *Les Pêcheurs de perles* (1863). *La Jolie Fille de Perth* (1866). *L'Arlésienne* (1872). *Carmen* (1873).

Henri Duparc (1848-1933)
L'Invitation au voyage (1870). *La Vague et la cloche* (1871). *Phidylé* (1882). *La Vie antérieure* (1884).

Gabriel Fauré (1845-1924)
Trois recueils de *Mélodies* (1868-1900). *Ballade* pour piano et orchestre (1881).

César Franck (1822-1890)
Rédemption (1871). *Les Béatitudes* (1869-1879). *Quintette avec piano* (1880). *Le Chasseur maudit* (1882). *Les Djinns* (1884). *Psyché* (1887).

Charles Lecocq (1832-1918)
La Fille de Madame Angot (1872).

Victor Massé (1822-1884)
Les Noces de Jeannette (1853). *Paul et Virginie* (1876).

Jules Massenet (1842-1912)
Scènes hongroises (1871). *Scènes pittoresques* (1873). *Hérodiade* (1881). *Manon* (1884). *Le Cid* (1885).

Jacques Offenbach (1819-1880)
Entre ce roi de l'opérette et le roi de la valse Johann Strauss, la rivalité ne se départit jamais d'une amicale complicité. Offenbach est devenu aussi populaire à Vienne qu'il l'est à Paris, et c'est au cours d'une rencontre dans cette ville qu'il conseille à Strauss de se tourner vers le théâtre lyrique.

Offenbach a eu des débuts difficiles. Pendant vingt-cinq ans, aucun théâtre n'a voulu accueillir ses ouvrages. En 1855, à l'occasion de la première Exposition universelle, il décide de créer son propre théâtre, qu'il appelle les Bouffes-Parisiens ; le succès est immédiat. Parmi la centaine d'opérettes qu'il a composées, on retiendra *Orphée aux enfers* (1858), *La Belle Hélène* (1864), *La Vie parisienne* (1866), *La Grande-Duchesse de Gérolstein* (1867), *La Périchole* (1868), *Les Brigands* (1869), *Madame Favart* (1878) et *La Fille du tambour-major* (1879). Dans l'opéra-comique *Les Contes d'Hoffmann*, dont il achève la partition quelques heures avant de mourir, il atteint les sommets du réalisme fantastique ; il sera représenté après sa mort (1881).

Camille Saint-Saëns (1835-1921)
Cinq *Concertos* pour piano (1858-1896). *Le Rouet d'Omphale* (1872). *Phaéton* (1873). *La Danse macabre* (1874). *Samson et Dalila* (1877). *Requiem* (1878). *Symphonie en ut mineur avec orgue* (1886). *Le Carnaval des animaux* (1886).

Piotr Tchaïkovski (1840-1893)
Concerto pour piano n° 1 (1875). *Concerto pour violon* (1877). *Le Lac des cygnes* (1876). *Eugène Onéguine* (1879).

Richard Wagner (1813-1883)
Siegfried (1876). *Le Crépuscule des dieux* (1876). *Parsifal* (1882).

Jules Massenet, dont le nom reste attaché à Manon, *son œuvre la plus fameuse.*

Le Volkstheater de Vienne, où furent représentées les œuvres de Johann Strauss.

César Franck, qui inspira de nombreux musiciens.

Piotr Ilyitch Tchaïkovski, mélodiste de génie.

1872

• Don Carlos se proclame roi d'Espagne. Reprise des guerres carlistes.

1873

• *9 janvier.* Mort de Napoléon III en Angleterre.

• *24 mai.* Démission de Thiers et élection de Mac-Mahon à la présidence de la République.

• *10 décembre.* Accusé de haute trahison, le maréchal Bazaine est condamné à mort ; sa peine sera commuée en détention perpétuelle, mais Bazaine s'évadera le 10 août 1874.

• Entente des trois empereurs (François-Joseph, Guillaume Ier et Alexandre II) pour le maintien du statu quo territorial en Europe.

1875

• *16 juillet.* Vote définitif de la Constitution de la Troisième République.

1876

• La Serbie et le Monténégro déclarent la guerre à la Turquie.

1877

• *1er janvier.* La reine Victoria prend le titre d'impératrice des Indes.

La Troisième République

Proclamé le 4 septembre 1870, à la faveur d'un mouvement insurrectionnel conduit par Gambetta et Jules Favre, ce régime aura une gestation lente et difficile. L'Assemblée nationale, élue au lendemain de la défaite, est composée en majorité de députés monarchistes, divisés en partisans du comte de Chambord, petit-fils de Charles X, et du comte de Paris, petit-fils de Louis-Philippe. Ces derniers acceptent de s'effacer devant Chambord, à condition qu'après la mort de celui-ci, qui n'a pas d'héritier, le trône revienne aux Orléans. Mais le projet de restauration de la monarchie échoue, car Chambord refuse d'accepter le drapeau tricolore. L'existence de la République reste menacée jusqu'au 30 janvier 1875, quand l'amendement du député Wallon, mentionnant le mot « république », est adopté... à une voix de majorité.

• *18 mai.* Conflit entre l'Assemblée et Mac-Mahon, qui la dissout.

• *3 septembre.* Mort de Thiers, à l'âge de 80 ans.

• *28 octobre.* Élections législatives et victoire des républicains. Mac-Mahon, ne souhaitant pas « se démettre », est obligé de « se soumettre », selon la formule de Gambetta.

Ayant refusé de se soumettre, Mac-Mahon dut se démettre... de manière spectaculaire, d'après cette caricature.

Pendant les événements de la Commune, un incendie rue de Rivoli.

1878

• *1er mai.* Inauguration à Paris de l'Exposition universelle et du palais du Trocadéro.

• *15 juin - 14 juillet.* Congrès de Berlin réglant la question des Balkans : la Roumélie reste sous domination ottomane ; la Roumanie, la Bulgarie et la Serbie deviennent indépendantes. L'Autriche-Hongrie annexe la Bosnie et l'Herzégovine, tandis que la Russie s'approprie la Bessarabie.

1879

• Alliance de l'Autriche et de l'Allemagne.

• *30 janvier.* Démission de Mac-Mahon. Jules Grévy est élu président de la République.

• *31 janvier.* Léon Gambetta est élu président de la Chambre.

• *14 février.* Décret proclamant *La Marseillaise* hymne national.

• *1er juin.* Le fils de Napoléon III est tué par les Zoulous dans une embuscade en Afrique du Sud.

1880

• Début du mouvement sioniste en Palestine.

• *6 juillet.* Sur l'impulsion de Raspail, la date du 14 juillet est adoptée pour la fête nationale française.

• *11 juillet.* Amnistie des condamnés de la Commune.

• *Septembre.* Ferdinand de Lesseps fonde la Compagnie pour le percement de l'isthme de Panamá.

Le Crépuscule du Roi

andis que Johann Strauss, dans sa maison de Iglgasse, laisse fuser son imagination généreuse, Angelika s'en va rôder dans les coulisses du Theater-an-der-Wien. La nostalgie de sa carrière artistique ratée l'y a conduite tout naturellement ; dans ce milieu où les apparences comptent tant, la beauté d'Angelika fait sensation, et elle draine aussitôt après elle un cortège d'admirateurs. Le plus empressé est Max Steiner, celui-là même qui a poussé Strauss à écrire des opérettes. Steiner est un beau parleur, qui sait manier les compliments. Ceux qu'il prodigue à Lili, même s'ils ne sont pas d'une grande originalité, la font rougir de plaisir et n'ont pas de mal à ébranler sa résistance. De surcroît, Steiner lui fait miroiter la possibilité d'une rentrée théâtrale ; il n'en faut pas davantage pour qu'Angelika jette par-dessus les moulins sa fidélité conjugale.

La liaison d'Angelika et de Steiner, d'abord discrète, est vite connue de tout Vienne. La capitale de l'Autriche est un terrain fertile où les rumeurs peuvent prospérer. L'infortune de Strauss est à la mesure de sa popularité ; tout en affectant de le plaindre, la société viennoise ne lui épargne pas les quolibets. Ainsi, même le roi de la valse n'est pas à l'abri d'une mésaventure que connaissent tant d'autres hommes... Voilà de quoi alimenter la malveillance des salons pendant quelques semaines...

Contrairement à l'usage qui veut que le mari trompé soit le dernier informé, Strauss est vite au courant de la liaison de sa femme avec Steiner. Mais il adopte, en la circonstance, une attitude d'une grande dignité : pas un mot de reproche, ni à Angelika ni à Steiner. Il poursuit même sa collaboration avec ce dernier comme si de rien n'était. Quant à Angelika, il la laisse partir sans heurts et sans cris. Mais, s'il n'en dit rien à personne, sans doute a-t-il dû ressentir une profonde amertume. Heureusement, le destin lui réserve une revanche qui illuminera les dernières années de son existence.

Cette revanche se présente sous la forme d'une toute jeune femme de 21 ans, à l'opposé d'Angelika... Petite, les cheveux et les yeux sombres, Adèle est surtout différente de l'épouse de Johann sur le plan intellectuel. Issue d'un milieu cossu – son père est l'un des plus importants banquiers de Vienne –, elle brille autant par les grâces de son esprit que par le charme de son visage. Le secret de sa séduction réside dans son regard, qui reflète une grande chaleur humaine et une sensibilité à fleur de peau. Coïncidence amusante, elle porte aussi le nom de Strauss. C'est d'ailleurs grâce à cette homonymie qu'elle a fait la connaissance du musicien : ayant reçu une lettre adressée à Madame A. Strauss, et destinée en fait à Angelika, elle l'a fait déposer au Theater-an-der-Wien. Johann l'en a remerciée et, aussitôt, a éprouvé une vive attirance pour elle. Angelika vient de le quitter, il se sent très seul, et tout de suite Adèle lui a manifesté un intérêt qui semble venir du cœur.

Johann Strauss contracta sur la fin de sa vie un troisième mariage – heureux, celui-ci – avec la jeune Adèle.

De son côté, lorsqu'elle rencontre Strauss, Adèle, en dépit de son jeune âge, est déjà veuve et mère d'une petite fille prénommée Alice. Elle est encore marquée par la mort prématurée de son époux, et la sympathie que lui témoigne Strauss est pour elle un précieux réconfort. Malgré le nombre d'années qui les sépare, leurs relations glissent insensiblement de l'amitié à des sentiments plus tendres. Nous savons déjà que Johann s'enflamme vite au contact d'une jolie femme ; sa musique, par la grâce de ses mouvements, la tendresse de ses mélodies et son esprit primesautier n'est-elle pas un hommage permanent à l'éternel féminin ? Si Strauss n'avait pas aimé et apprécié les femmes comme il l'a fait, jamais ses valses n'auraient été imprégnées de cette volupté qui, depuis cent cinquante ans, trouble et séduit des millions et des millions d'admirateurs. Strauss voit en Adèle comme la transposition humaine de sa musique ; il a soudain l'impression que tout ce qu'il a écrit jusqu'à présent lui a été inspiré par l'attente inconsciente d'Adèle, qu'elle est la muse qu'il espérait et qu'il a fini par trouver sur son chemin... A partir de cet instant, son état d'esprit se transforme, il retrouve le plaisir de vivre et son enthousiasme, en même temps qu'un motif pour se sublimer. La jeune femme est touchée par la sincérité de Johann, par cette ardeur qu'elle suscite chez cet homme bientôt sexagénaire. Elle est émue aussi par l'affection que Johann témoigne à la petite Alice : tout autant que l'amour de cet homme mûr, c'est sa protection qu'elle apprécie. Elle est sensible aux égards dont il la comble, aux multiples attentions dont elle fait l'objet. Bientôt, tous deux ne peuvent plus se passer l'un de l'autre.

Pour Johann comme pour Adèle, il ne saurait être question d'une simple aventure ; ils veulent se marier. Mais un obstacle de taille se dresse sur leur chemin : aux yeux de la loi autrichienne, Johann est toujours l'époux d'Angelika. Ancrée dans un catholicisme strict, l'Autriche n'admet pas le divorce. Même si certains ressortissants autrichiens vont divorcer à l'étranger, ils ne peuvent se remarier dans leur pays. Cette rigueur législative a d'ailleurs quelque chose de paradoxal si l'on songe à la liberté de mœurs qui règne dans l'Empire. Les liaisons extraconjugales sont monnaie courante, y compris dans les plus hautes sphères de la société. Mais si l'Église ne peut contenir ces débordements, elle entend maintenir la pérennité du couple sur le plan légal.

Le problème paraît insoluble, mais, en la circonstance, la célébrité de Johann va le servir. Le musicien compte de nom-breuses amitiés dans les familles royales d'Europe. Parmi les hauts personnages qui l'admirent, le roi de la valse entretient des rapports privilégiés avec le duc Ferdinand de Saxe-Cobourg, neveu du duc Ernest II, souverain de cette princi-pauté d'Allemagne. Mis au courant des problèmes matri-moniaux de leur ami, le duc Ferdinand et son oncle sont tout disposés à l'aider. Ernest II accepterait volontiers de marier Johann et Adèle dans son pays, mais il y met une double condition : que le compositeur prenne la nationalité saxon-ne et qu'il se convertisse à la religion protestante.

Malgré l'amour ardent qu'il ressent pour Adèle, Johann hésite à renier ainsi son passé. Quand on porte le prestigieux nom de Strauss, quand on a élevé ce nom jusqu'au sommet de la gloire, a-t-on le droit d'oublier sa patrie, d'abandonner sa religion ?

Pendant plusieurs semaines, Johann est la proie d'un grave débat intérieur, mais, finalement, sa passion pour Adèle est plus forte que toutes les autres considérations.

Le Burgtheater, autre salle de spectacle célèbre à Vienne.

Pour Adèle, Johann accepte donc ce sacrifice, qu'il considère comme la preuve la plus éclatante qu'il puisse donner de son amour à la jeune femme. Le 11 juillet 1883, son divorce avec Angelika est prononcé, et, quelques semaines plus tard, dans la chapelle royale de Cobourg, Johann et Adèle sont unis selon la loi luthérienne. Le musicien a 58 ans, son épouse 24, mais les trente-quatre années qui les séparent ne semblent guère les gêner. Ce bonheur tout neuf a rendu au compositeur une jeunesse inespérée. Jamais sa musique n'a eu des éclats aussi triomphants, jamais ses valses n'ont reflété autant de tendresse et de sensualité. Pour plaire à Adèle, il ne recule devant rien : il teint sa moustache et ses cheveux, se livre à des exercices physiques, se contraint à faire chaque jour une heure d'équitation. Touchants efforts d'un homme auquel la passion amoureuse donne la volonté de nier l'outrage des ans. Toujours pour plaire à Adèle, Johann a acquis à Schönau, en Basse-Autriche, une vaste propriété, où le couple vit heureux. Dans le domaine qui lui est le plus cher, celui de la musique, l'influence de son épouse se révèle particulièrement bénéfique pour Johann. Alors que, depuis la mort de Jetty, il n'a plus touché à son violon, il se remet à en jouer et retrouve aussitôt sa virtuosité d'antan. Et il accepte à nouveau de diriger des concerts ou des représentations de ses opérettes.

A chaque fois qu'il quitte Adèle pour se rendre au théâtre, il lui laisse de petits billets doux, comme le ferait un amoureux de 20 ans. Témoin, entre bien d'autres, celui-ci : « Mon Adèle chérie, en dirigeant, je changerai le temps de *maestoso* en *allegro*, pour en avoir fini plus vite et accourir t'embrasser quelques minutes plus tôt. Ton Jean » (1).

Remarquons au passage la signature. Depuis tout jeune, Johann a adopté la forme française de son prénom dans ses rapports intimes avec les femmes. Jadis, la Russe Olga l'appelait ainsi, Jetty également. Il s'agit là d'une preuve de plus de l'attachement du roi de la valse à la culture française ; avec son épouse, comme avec Jetty autrefois, il s'entretient le plus souvent en français, et c'est également cette langue qu'il utilise dans ses relations avec les personnages de la cour impériale.

Pour pouvoir gâter sa jeune épouse, Johann a retrouvé son ambition et son désir d'accroître sa fortune. Cette lettre qu'il adresse à Adèle de Berlin, où il est allé rencontrer son éditeur allemand, Fritz Simrock, nous éclaire sur ce point : « J'ai besoin de voir mon éditeur, car je veux pouvoir te parer. L'éditeur a ici un rôle important à jouer ; il me faut tirer des flèches, des flèches d'amour et elles coûtent cher. C'est ma musique qui me permettra de les acheter, et ces

marques d'amour doivent être remises à l'éditeur Fritz Simrock, 171 Friedrichstrasse à Berlin. C'est la seule adresse dont je puisse me souvenir. Et pourquoi ? Cherchez la femme ! Dors bien, belle Adèle aux yeux noirs, la seule qui existe sur terre (2). »

D'aucuns trouveront peut-être le style de Strauss un peu puéril ou mièvre de la part d'un homme qui frise la soixantaine ; mais si l'on se souvient que, dans le domaine de l'écriture, Strauss s'est toujours montré fort peu prolixe, on ne peut que se réjouir de le voir sortir de son mutisme. Et puis la postérité doit se féliciter de cette renaissance du musicien ; elle y a gagné quelques chefs-d'œuvre de plus.

Adèle est également un motif de première importance dans les visites de plus en plus fréquentes de Johannes Brahms au foyer des Strauss. Comme il a été amoureux, jadis, de Clara Schumann, l'illustre musicien est, au soir de sa vie, attiré par la jeune Madame Strauss. Mais, pas plus qu'à l'égard de l'épouse de Robert Schumann, Brahms ne se départira de sa réserve respectueuse. Pourtant, il ne laisse jamais passer une occasion de manifester son admiration à Adèle ; ainsi, un jour, sur un éventail de la jeune femme, il trace une portée de musique sur laquelle il note les premières mesure du *Beau Danube bleu*, ajoutant la dédicace suivante : « Nous sommes tous deux au service de la cour d'Adèle, Brahms pour les fugues, Strauss pour les valses. » A l'amitié qui unit Brahms et le ménage Strauss s'ajoute l'estime réciproque que se portent les deux musiciens, admi-

---

(1) Cité par H. Frankel dans *Les Strauss, rois de la valse*.
(2) *Ibid.*

Brahms était un fervent admirateur d'Adèle Strauss.

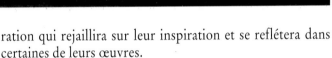

*Une soirée intime, mais brillante,
chez les Strauss.*

ration qui rejaillira sur leur inspiration et se reflétera dans certaines de leurs œuvres.

A la même époque, Johann Strauss noue d'autres liens d'amitié, plus prestigieux encore. Il y a longtemps que la position qu'il avait prise lors des événements de 1848 est oubliée, sa nomination à la direction des bals de la cour ayant marqué sa réconciliation avec l'empereur François-Joseph. Depuis, les relations entre les deux hommes n'ont fait que se resserrer. L'empereur a conscience du prestige international dont jouit le roi de la valse et des avantages qui en découlent pour l'Empire. Toutefois, ce qui va les rapprocher encore davantage ne devra rien à leurs positions officielles respectives.

L'empereur entretient une liaison suivie avec une jeune actrice de 29 ans, Katherina Schratt, Kathi pour les intimes. La chose est non seulement connue de toute la cour, mais aussi du peuple, qui a surnommé ironiquement François-Joseph « Monsieur Schratt ». C'est en 1883, lors d'une représentation au Burgtheater, que le souverain a remarqué pour la première fois la jeune femme. Trop timide pour oser l'aborder, il se serait sans doute borné à une admiration platonique s'il n'avait reçu une aide providentielle de sa propre épouse, l'impératrice Élisabeth, la fameuse Sissi ! Cette intervention aurait de quoi surprendre si l'on ne connaissait l'état des relations qu'entretenait alors le couple impérial. Le temps de la passion qui a jeté François-Joseph et Sissi dans les bras l'un de l'autre est bien révolu. Atteinte d'une sorte

de frénésie ambulatoire, l'impératrice ne peut jamais demeurer à Vienne plus de quelques semaines.

L'étiquette de la Hofburg ne pouvait évidemment se satisfaire d'une souveraine itinérante, et François-Joseph a fini par assumer seul la représentation impériale. Cette situation, on s'en doute, a été pénible pour le monarque ; même s'il l'a acceptée avec dignité, il s'est senti bien seul, et cela n'a pas échappé à Sissi, qui s'est à son tour sentie responsable. Quand elle s'est aperçue de l'intérêt de son mari pour la jeune actrice, elle a sauté sur l'occasion et s'est efforcée de faciliter leurs rapports. Ce patronage conjugal a permis de sauver les apparences, et même si les chansonniers ont brocardé l'empereur, sa liaison avec Kathi est peu à peu devenue quasi officielle.

Depuis 1883 – année du mariage de Johann et d'Adèle – François-Joseph poursuit donc avec Kathi une idylle sans nuages. Désireux de voir celle qu'il aime le plus souvent possible, il lui a fait édifier une jolie demeure dans la Gloriettegasse, une voie tranquille qui longe les grilles du parc de Schönbrunn. Il n'a donc que quelques centaines de mètres à parcourir pour retrouver Kathi, ce qu'il fait chaque matin afin de prendre le petit déjeuner en tête-à-tête avec elle – petit déjeuner robuste qui nous donne une idée de l'appétit de Mademoiselle Schratt : langouste et foie gras arrosés de champagne constituent le menu quotidien de la favorite. Or, un matin, en arrivant comme d'habitude, l'empereur trouve Kathi en compagnie d'un autre souverain : le roi de la valse.

La présence de Johann chez sa bien-aimée ne dérange pas François-Joseph, au contraire. A la faveur de ces rencontres sans protocole, loin de la lourde étiquette de la Hofburg, les deux hommes apprennent à mieux se connaître ; une véritable amitié les unit à présent, qui ne tient pas compte de leur différence de position. Pour François-Joseph, ces petits déjeuners constituent un moment de détente qu'il apprécie particulièrement, et Johann se joint au couple avec un plaisir évident. Sa maison de Hietzing est elle-même voisine de la villa de Kathi, ce qui favorise ses visites.

Est-ce au cours d'une de ces conversations familières que Johann Strauss conçoit le projet d'une valse qui va marquer le sommet de son art, *La Valse de l'empereur* ? Il est possible que son attachement à la personne du souverain lui en ait fourni l'idée, que les circonstances vont faire éclore. En 1888, François-Joseph va célébrer ses quarante années de règne. Un règne qui n'a pas été heureux sur les champs de bataille, loin s'en faut ; l'Autriche a perdu ses possessions italiennes, puis a assisté à la montée de l'hégémonie allemande, suivie, en 1871, par la création de l'Empire allemand, devenu à présent la figure de proue du monde germanique. Incapable de résister à ce dangereux concurrent, François-Joseph a jugé prudent de s'en rapprocher. Malheureusement, ce rapprochement conduira, en 1914, le vieil empereur à suivre son voisin dans son entreprise guerrière, qui aboutira à l'écroulement de l'Empire.

Parallèlement, à l'intérieur même du vaste conglomérat de nationalités et d'ethnies sur lequel règne François-Joseph, des craquements de plus en plus nombreux et de plus en plus violents se font entendre. Le refus du gouvernement de Vienne de tenir compte de l'évolution politique de l'époque a aggravé la menace qui pèse sur l'unité du pays.

Enfin, sur un plan personnel, François-Joseph n'est pas plus heureux : les deuils familiaux n'ont cessé de jalonner son existence. La mort tragique de son frère, l'empereur

Johann Strauss dirige le bal à la cour.

Maximilien, au Mexique, sera suivie, en 1889, d'une perte encore plus cruelle : celle de l'héritier du trône, l'archiduc Rodolphe. Enfin, nous savons déjà que le mariage de l'empereur a été un cruel échec.

Est-ce en raison de cette accumulation d'épreuves que les Autrichiens éprouvent tant d'attachement pour leur empereur ? Toujours est-il que le quarantième anniversaire de son règne est l'occasion pour le peuple de démontrer sa fidélité. De grandes fêtes sont prévues, à Vienne et dans tout le pays, qui donneront un caractère solennel à la célébration du jubilé. Bien entendu, Johann Strauss s'associera à la liesse générale en offrant à l'empereur la plus belle et la plus somptueuse de toutes les musiques qu'il a écrites. En vérité, *La Valse de l'empereur* est plus un poème symphonique qu'une valse. La sensualité, le romanesque, la tendresse qui caractérisent en général les valses de Strauss ont cédé la place ici à un lyrisme généreux, à un enchaînement de thèmes grandioses qui conviennent aux circonstances exceptionnelles qu'il s'agit de glorifier. Fait rare dans l'œuvre du musicien, il ne s'agit pas d'un hommage à l'éternel féminin, mais d'un témoignage de fidélité et de respect d'un citoyen à son roi, d'un homme à son ami. Ce dessein a permis à Strauss d'élever encore davantage son écriture, de rechercher de nouveaux effets mélodiques ; il s'est rapproché de la grande tradition des musiciens de son pays, et, en écoutant *La Valse de l'empereur*, on pense à Mozart, à Schubert, à Mahler…

Si l'apothéose de l'œuvre est solennelle, son prélude de soixante-quatorze mesures est discret ; un pressentiment du motif principal se fait entendre, porté par toutes les sonorités de l'orchestre. Soudain, le *forte* cède la place à un *pianissimo* délicat, puis aux accords d'un violon solitaire ; on croit que la valse va commencer, mais le moment n'en est pas encore venu. Strauss a voulu d'abord nous y préparer par une sorte de marche aux accents wagnériens… Trois mesures suspendent le cours de la musique, puis la valse s'élance, impériale… Le voici, cet empereur, tel que Strauss nous le décrit : pas un héros de légende, mais un homme accessible parce qu'il a souffert. « Sa majesté n'est pas celle d'un Napoléon qui ordonne, qui prend ses décisions sous le feu des canons ennemis ; c'est une majesté purement morale, qui forme pourtant une barrière autrement plus solide que les mousquetons et hallebardes des gardes de Louis XIV » (1).

Après cette description musicale de la personnalité du souverain, Strauss se tourne vers le petit peuple de Vienne, avec lequel il célèbre la joie de vivre dans la cité des bords du Danube. Vive le bonheur et vive l'empereur qui se promène maintenant à travers son beau pays ! Voici les Alpes avec

(1) H. E. Jacob, *Les Strauss et l'histoire de la valse.*

leurs forêts bruissantes de mille chants et leurs torrents bondissants, que le musicien capte dans une tyrolienne vibrante de gaieté. Puis arrive la *coda*, où se mêlent heureusement tous les thèmes qui ont été développés jusque-là. Enfin, c'est l'apothéose, qui s'exprime en une ardente prière : « Que Dieu conserve notre empereur ! »

La Marche du Jubilé, *composée par Johann Strauss pour les quarante ans de règne de François-Joseph.*

La Valse de l'empereur constitue sans aucun doute le sommet de l'œuvre de Strauss. D'abord, c'est l'hommage rendu par le roi de la valse à un régime qu'il a accompagné de sa musique durant toute la seconde partie du XIXe siècle. Aujourd'hui encore, alors que l'Empire a disparu depuis longtemps, il suffit que l'on joue *La Valse de l'empereur* pour qu'aussitôt renaissent les fastes de Schönbrunn et que prennent vie de ravissants fantômes, qui tournent inlassablement au rythme de la musique straussienne. Ensuite, *La Valse de l'empereur* nous démontre que la valse n'est pas simplement une danse, mais un grand moment de la musique ; son auteur, grâce à elle, peut rivaliser avec les plus illustres compositeurs de son époque.

Sans doute cette œuvre a-t-elle été le dernier sourire d'une société qui allait disparaître. Les Viennois commencent à peine à se rendre compte qu'ils ne dansent plus sur le plancher d'une salle de bal, mais sur un volcan. Un chroniqueur du temps, analysant la situation, a écrit alors : « L'ambiance de Vienne rappelle celle du Paris d'avant la Révolution. C'est le même raffinement et la même élégance, avec le même pressentiment du désastre. »

N'en veuillons pas à Strauss d'avoir prolongé pour les Viennois l'illusion du bonheur ; ils se réveilleraient toujours assez tôt…

Un autre que Strauss, après l'apothéose de *La Valse de l'empereur*, aurait peut-être considéré qu'il avait rempli sa mission et pouvait se reposer sur ses lauriers. Mais, à 65 ans, le compositeur se sent plein d'ardeur, et les idées musicales se bousculent dans sa tête ; il travaille comme aux plus beaux jours. Adèle est évidemment à l'origine de ce regain d'énergie, car l'amour qu'il a pour elle se confond avec celui de son art. On peut seulement regretter qu'il mette cette inspiration davantage au service de l'opérette que de la musique orchestrale. Devant les demandes croissantes des théâtres, qui lui réclament des partitions, Strauss ne parvient pas à résister, et il n'a presque plus de temps à consacrer aux valses. Deux d'entre elles auront quand même un sort heureux : *La Valse des jardins* et les *Klug Gretelein Walzer*. Mais, la plupart du temps, Strauss doit s'efforcer de pallier la médiocrité des livrets insipides que lui fournissent des collaborateurs besogneux. Les seuls titres de certaines de ces « œuvres » nous éclairent sur leurs qualités ; ainsi *Colin-maillard* ou *Le Maître du bois*, dont la postérité n'a conservé qu'un souvenir bien vague. Parfois, entraînée par la vulgarité du texte, la musique de Strauss elle-même perd son élégance naturelle. Il est toutefois curieux que ces ouvrages, depuis longtemps oubliés, connaissent sur le moment un succès considérable. Une fois de plus, la magie du nom de Strauss agit sur le public ; par ailleurs, en prélude à chacune de ses opérettes, Johann compose une ouverture éblouissante qui plonge dès les premières mesures les spectateurs dans le ravissement.

Sa frénésie de travail entraîne Johann dans une activité qu'il avait à peu près abandonnée : la direction d'orchestre. Il accepte même d'aller diriger à Moscou, où il reçoit comme cachet deux magnifiques chevaux, cadeau qu'il apprécie particulièrement, car il est toujours un excellent cavalier.

Comme on peut l'imaginer, chacune de ses apparitions en public, que ce soit au théâtre ou dans une salle de bal, provoque un enthousiasme indescriptible. Mais il n'apprécie guère ce genre de démonstration populaire. Dans sa vie privée, il n'accepte qu'un petit nombre d'amis, qu'il reçoit chez lui pour une partie de cartes ou de billard. Nous le savons, Johann n'a rien d'un brillant causeur ; jamais il ne se sent si bien que seul la nuit, devant son papier à musique, transcrivant les airs qui chantent à son oreille. Il a repris ses habitudes de travail nocturne, s'interrompant parfois pour aller voir si rien ne vient troubler le sommeil d'Adèle, qui dort dans une chambre attenante à son bureau. De temps à autre, il lui écrit un petit billet, qu'elle découvrira le lendemain matin à son réveil.

Ces messages d'amour sont d'une fraîcheur étonnante, venant d'un homme à l'automne de sa vie : « Adèle chérie, je te souhaite une très bonne nuit et un très bon sommeil et un esprit joyeux quand tu te réveilleras. Réjouissons-nous aussi longtemps que se poursuit notre existence ; on ne vit qu'une fois. Et les femmes surtout doivent toujours sourire. Elles sont plus jolies ainsi, et cela prévient les rides. »

Outre ses trois propriétés à Vienne, en Basse-Autriche et à Hietzing, Strauss a acquis une villa à Ischl, où Adèle et lui passent l'été. Il pleut souvent à Ischl, mais cela ne dérange pas le musicien, au contraire. Parfois, au crépuscule, il reste de longs moments debout devant une fenêtre, à contempler le ciel et à suivre le jeu du vent dans les arbres du parc. A son ami Girardi, il écrit : « J'adore ce mauvais temps. S'il pouvait toujours durer... Il est si facile de composer quand il pleut... » (1).

Lorsque Johann est satisfait de ce qu'il a écrit, il appelle Adèle et lui joue au piano la valse, la polka ou la marche qu'il vient de composer. Alice a droit, elle aussi, aux attentions du musicien. La petite fille bénéficie de toute la tendresse paternelle que Johann n'a jamais pu prodiguer jusque-là puisque, contrairement à son père, il n'a pas eu d'enfants. Souvent, en été, il vient la retrouver dans le jardin d'Ischl et joue avec elle comme un véritable gamin. Brahms qui vient le voir un jour le surprend à quatre pattes en train de décorer les parterres de fleurs avec des coquillages : « Ce sont des coquillages qu'Alice et moi avons ramassés sur la plage d'Ostende », déclare-t-il à Brahms, visiblement très fier de ses trophées.

Une autre de ses distractions favorites consiste à aider la cuisinière dans ses travaux. Toujours à son ami Girardi, il

---

(1) Cité par H. Frankel, *Les Strauss, rois de la valse*.

*Johann Strauss raffolait du jeu de tarot. Ici, avec Adèle,
dans leur maison d'Ischl.*

explique : « C'est pour débarrasser mon cerveau de son excès de concentration. J'aime écosser des pois, ou préparer des haricots verts ou enlever les queues des groseilles. Je suis sûr au moins de tirer un certain plaisir de ces activités, alors que je suis beaucoup moins sûr de tirer un plaisir équivalent de mes travaux de compositions ! » (2). D'ailleurs, il a souvent de vives discussions qui le ravissent avec la cuisinière. Leur principal conflit concerne l'épaisse soupe à l'autrichienne que la brave femme sert à chaque repas et que Strauss refuse obstinément d'absorber, car « elle lui reste sur l'estomac ». Un jour, à bout d'arguments, la cuisinière lui lance : « Monsieur n'aime que manger français ! » Et Strauss d'éclater d'un rire moqueur, à la grande fureur du cordon bleu.

Comme on le voit par ces images paisibles, c'est une fin de vie heureuse que Strauss va connaître auprès d'Adèle. La jeune femme est la fée souriante qui veille à maintenir autour de lui une harmonie bienfaisante. Elle sait que la musique est la raison de vivre de son mari et, loin de la considérer comme une rivale, ainsi que le faisait Angelika, elle déploie tous ses efforts pour que Johann vive dans un climat propice à son inspiration. Pourtant, malgré la tendresse constante de son épouse, il lui arrive de retomber dans une de ces crises de mélancolie qui le poursuivent depuis si longtemps ; dans ce cas, il s'enferme dans un mutisme qui dure parfois plusieurs jours et qu'Adèle respecte scrupuleusement. Un matin, à l'issue d'une nuit de travail, il appelle sa femme d'une voix joyeuse : « Écoute, ma chérie, la valse que j'ai composée

(2) *Ibid.*

pendant que tu dormais ! » Il se met alors au piano, et la musique glisse sous ses doigts, légère, sensuelle, vibrante… Et Adèle comprend que la « crise » est passée…

Si les livrets que l'on propose à Strauss sont, la plupart du temps, d'une banalité qui défie l'entendement, cela ne l'empêche pas de continuer d'écrire des opérettes, car il a fini par prendre goût au théâtre. Toutefois, au milieu de ces ouvrages sans consistance, *Le Baron tzigane* va constituer une heureuse exception. C'est sur le conseil d'Adèle que Strauss a accepté le sujet, rocambolesque certes, mais dont le climat inspire le musicien. La Hongrie, avec ses vastes champs de blé qui se dorent au soleil, cette musique tzigane aux accents sauvages, ces personnages romantiques qui s'aiment et se déchirent à tour de rôle, voilà qui enthousiasme le compositeur. Au point qu'il a tendance à donner à sa partition une connotation uniquement hongroise. Or, le librettiste, un journaliste du nom de Schnitzler, est un homme d'expérience qui connaît tous les ressorts du théâtre. Il convainc Strauss de ne pas ouvrir le deuxième acte par une czardas, mais au contraire d'y placer l'une de ses grandes valses : ce sera la *Schatz Walzer*, sommet musical de l'ouvrage. Schnitzler aide également Strauss à éviter l'excès de tragique comme l'excès de burlesque. Pour une fois, le musicien aura eu un collaborateur qui, loin de trahir son génie musical, l'aura servi de son mieux. Le résultat répondra aux espoirs des auteurs : triomphant dès sa première représentation au Theater-an-der-Wien, *Le Baron tzigane* deviendra un succès mondial.

Malgré son peu de goût pour les bains de foule et les manifestations officielles, Johann Strauss est devenu un personnage si considérable qu'il ne peut toujours se dérober devant les invitations qui pleuvent sur lui. D'autant que certaines occasions revêtent à ses yeux un caractère symbolique. Ainsi, au mois d'octobre 1894, il accepte de se rendre à une représentation exceptionnelle du *Baron tzigane* à l'Opéra. Il s'agit de célébrer le cinquantième anniversaire des débuts du compositeur au casino Dommayer, lors de cette soirée mémorable où Johann II allait être reconnu comme l'héritier de Johann Ier...

En pénétrant dans la vaste salle de l'Opéra, tandis que les spectateurs debout ponctuent sa marche d'applaudissements frénétiques, le vieux musicien presque septuagénaire est ému... Devant ses yeux défilent des images qui datent d'un demi-siècle, mais qui retrouvent soudain les couleurs de la vie... Il revoit un jeune homme de 19 ans, tremblant d'émotion mais bien décidé à triompher, qui lève sa baguette pour donner le signal du départ à la plus merveilleuse des aventures. Ce soir du 15 octobre 1844, chez Dommayer, ils étaient quelques milliers qui découvraient sa musique ; aujourd'hui, ils sont des millions et des millions de par le monde qui dansent et rêvent sur ses compositions. Strauss revoit sans doute également, silhouette perdue dans la foule, sa mère, la chère Anna, partagée entre la crainte et l'espérance. Dans le cœur du musicien, les bravos qui l'accueillent ce soir se confondent avec ceux qui l'ont salué cinquante années plus tôt, au seuil de son prestigieux destin...

Soudain, un événement inattendu ramène Johann à la réalité présente : l'empereur François-Joseph vient de faire son entrée dans la loge impériale. C'est une surprise, car le souverain n'a pas annoncé sa visite. Ce n'est un secret pour personne qu'il n'entend pas grand-chose à la musique ; à plusieurs reprises, lorsque pour des raisons protocolaires il a dû se rendre à l'Opéra, on l'a surpris en train de dormir ; il lui est même arrivé de partir en cours de représentation. Aussi sa venue est-elle symbolique : l'empereur d'Autriche a voulu rendre hommage au roi de la valse.

A la fin du spectacle, il demande que Strauss vienne le rejoindre ; tous deux, debout côte à côte, répondent aux ovations de la foule ; image forte que celle de ces deux hommes quasiment du même âge qui ont traversé ensemble les vicissitudes d'un siècle tourmenté et qui, en cet instant, représentent à eux deux la légende de la Vienne impériale...

Comme Strauss remercie François-Joseph d'être resté jusqu'au bout, l'empereur lui répond en souriant : « Cette fois-ci, je n'avais pas envie de m'en aller. Je me suis immensément amusé. C'est étrange, mais votre musique reste aussi jeune que votre personne. Vous n'avez en rien changé depuis les nombreuses années que je vous connais. Je vous félicite pour votre opéra. »

Un joli portrait de Johann Strauss à la fin de sa vie.

En faisant allusion au passé, l'empereur s'est-il souvenu que, lors de son avènement, Johann Strauss s'était rangé dans le camp de l'opposition et avait dirigé, quelques jours plus tard, l'exécution de *La Marseillaise*, considérée alors comme un hymne révolutionnaire ? C'est bien possible, mais ce soir, l'empereur d'Autriche est surtout conscient de tout ce que son pays doit à ce musicien de génie.

Quant à Johann, le terme d'« opéra » qu'a employé l'empereur l'a comblé. Toute la soirée, il ne cesse de clamer à Adèle et à ses amis sa fierté d'avoir ainsi grimpé un échelon supplémentaire de son art, oubliant qu'il ne faut pas trop se fier à l'empereur en la matière...

La représentation du *Baron tzigane* à l'Opéra n'est pas la seule manifestation destinée à commémorer les cinquante ans de carrière du compositeur. Quelques jours plus tard, l'Orchestre philharmonique de Vienne – l'ancêtre de celui qui, chaque 1er janvier, perpétue désormais le souvenir de Strauss – donne un banquet en son honneur. A la fin du repas, pour la première fois de sa vie, Strauss se lève et prononce la brève allocution suivante : « Messieurs, je n'ai rien d'un orateur. Les honneurs dont vous me gratifiez aujourd'hui, je les dois à mes prédécesseurs, à mon père et à Joseph Lanner. Ce sont eux qui m'ont indiqué le chemin où quelques progrès pouvaient encore être faits : l'enrichissement de la forme musicale. Ce fut là ma contribution, une faible contribution… Ce fut là tout mon mérite. Je sens que vos hommages dépassent mon talent et qu'on me donne plus que je ne le justifie… » Jamais Strauss n'en a autant dit. Comme effrayé de sa propre audace, il s'arrête de parler, ne sachant quelle contenance adopter. Puis il conclut sèchement : « J'ai déjà trop parlé. Rien de plus ! Rien de plus ! C'est fini ! » Et, rouge de confusion, il se rassoit, tandis que les autres se lèvent et lui font une ovation qui n'en finit plus.

La vie se poursuit, sans heurts ni imprévus. Adèle et Alice veillent avec un soin jaloux sur la quiétude de leur grand homme, qui travaille toujours et crée de nouvelles musiques d'orchestre, de nouvelles opérettes : *La Princesse Nanetta* (1893), *Jabuka* (1894), *Le Maître du bois* (1895), *La Déesse Raison* (1895), tous donnés au Theater-an-der-Wien.

De temps à autre, un chagrin vient troubler ce bonheur sans nuages. En 1896, Brahms est gravement malade. En dépit de son état, il tient à applaudir une opérette que Strauss vient d'écrire. Ce sera sa dernière visite ; il disparaît quelques semaines plus tard, et Johann ressent douloureusement la perte d'un ami si cher. Par ailleurs, Strauss s'est brouillé avec son frère cadet, Eduard ; loin de se dissiper, la jalousie d'Eduard à l'égard de Johann a viré à l'obsession et tous les efforts de ce dernier ont échoué.

En 1899, à 74 ans, Johann est toujours d'une vigueur exceptionnelle. A l'occasion de l'Ascension, Vienne célèbre sa traditionnelle Fête du printemps. Une représentation exceptionnelle de *La Chauve-Souris* doit être donnée, et Strauss a accepté de la diriger. Il va le faire avec une fougue et une ardeur de jeune homme ; on dirait que le temps n'a pas de prise sur lui. Encore très exalté après le spectacle, il décide de rentrer chez lui à pied et renvoie son cocher. Tout à la merveilleuse musique qui chante à ses oreilles, il ne prend pas garde à l'humidité de la soirée. Au matin, il se sent fiévreux, mais, comme il a en tête l'idée d'une mélodie, il se met au piano et y passe plusieurs heures. Le lendemain, il travaille à la partition de *Cendrillon*, une opérette qu'il tient à terminer. Deux jours plus tard, il assiste même à une présentation de modèles au Prater. Mais le mal progresse rapidement ; le diagnostic des médecins tombe comme un couperet : double pneumonie. Le 1er juin, il alterne des moments de délire et des périodes de lucidité. Près de son lit, Adèle le soigne comme elle l'aime, avec un dévouement inlassable… C'est elle qui nous raconte ses derniers instants : « Soudain, il s'assit droit dans son lit et, sous sa respiration haletante, on pouvait entendre une mélodie… Une vieille chanson, qui disait : "Il faut maintenant nous séparer, si beau que puisse briller le soleil, il finira par se coucher…" Le matin du 3 juin, il me prit la main et l'embrassa par deux fois sans dire un mot. Ce fut sa dernière caresse… »

Quelques heures plus tard, Johann Strauss est mort. Au moment où le magicien qui l'a si longtemps enchantée quitte la terre, celle-ci se couvre de fleurs : le printemps éclate dans Vienne, comme pour adresser à celui qui s'en va un sourire reconnaissant.

La nouvelle de la mort de Strauss s'est répandue dans Vienne par le truchement de la musique. Ce jour-là, l'un des disciples de Johann, Eduard Kremser, dirige un concert en plein air quand un homme s'approche de lui et lui murmure quelques chose à l'oreille. Kremser arrête net le morceau en cours et, sur un signe de lui, les musiciens attaquent *pianissimo* les premières mesures du *Beau Danube bleu*… Strauss aurait approuvé cette façon d'annoncer son départ à ses chers Viennois… Quelques jours plus tard, la population de la capitale presque au complet l'escorte jusqu'au cimetière de Vienne, où il va reposer aux côtés de Schubert et de Brahms… Le roi de la valse n'est plus, mais son règne n'est pas près de s'achever.

Les cinquante ans de carrière de Johann Strauss,
célébrés en 1894.

Anton Bruckner (1824-1896).

Te Deum (1881-1884). *Symphonies n°s 6 à 9* (1881-1894).

Ernest Chausson (1855-1899).

Poème de l'amour et de la mer (1882). *Symphonie en si bémol* (1889-1890). *Poème pour violon et orchestre* (1896). *Le Roi Arthus* (1896). *La Chanson perpétuelle* (1898).

Claude Debussy (1862-1918).

La Demoiselle élue (1887). *Fêtes galantes* (1888). *Prélude à l'après-midi d'un faune* (1892-1894). *Quatuor* (1893). *Chansons de Bilitis* (1897). *Nocturnes* (1897-1899).

Léo Delibes (1836-1891).

Coppélia (1870). *Sylvia* (1876). *Lakmé* (1883).

Gabriel Fauré (1845-1924).

Six *Impromptus* (1883-1913). Treize *Barcarolles* (1883-1921). Treize *Nocturnes* (1883-1922). Quatre *Valses caprices* (1883-1894). *Requiem* (1887). *Caligula* (1883). *Shylock* (1889). *Pelléas et Mélisande* (1898).

Édouard Lalo (1823-1892).

Symphonie espagnole (1874). *Rhapsodie norvégienne* (1881). *Namouna* (1882). *Concerto russe* (1883). *Symphonie en sol mineur* (1886). *Le Roi d'Ys* (1888).

Gustav Mahler (1860-1911).

Symphonie nordique (1879). *Symphonie n° 1* (1885-1888). *Symphonie n° 2* (1888-1894). *Symphonie n°s 3 et 4* (1895-1896 et 1899).

André Messager (1853-1929).

La Basoche (1890). *Les P'tites Michu* (1897). *Véronique* (1898).

*Portrait de Giuseppe Verdi
à la fin de sa vie.*

*Un nouveau musicien apparaît
au firmament de l'art : Gustav Mahler.*

*Claude Debussy,
déjà couronné d'une juste gloire.*

La sortie de l'Opéra, un soir de gala, à Vienne.

Maurice Ravel (1875-1937)

Fervent admirateur de Strauss, Ravel a lui aussi enrichi la valse de son inspiration originale. Les nouveautés qu'il a apportées à la musique lui ont d'ailleurs valu de nombreux détracteurs. Au point qu'en 1911, lorsque sont jouées ses *Valses nobles et sentimentales*, il n'a pas osé faire figurer son nom sur la partition. Plus tard, en 1919, il reprendra un projet amorcé en 1906 : un poème chorégraphique intitulé *La Valse*, qui sera finalement créé en 1928... après vingt-deux années de gestation.

Habanera (1895). Ouverture de *Schéhérazade* (1898). *Pavane pour une infante défunte* (1899).

Richard Strauss (1864-1949).

Symphonie en fa mineur (1884). *Don Juan* (1887). *Macbeth* (1887). *Ainsi parla Zarathoustra* (1896). *Don Quichotte* (1897). *La Vie d'un héros* (1898).

Piotr Tchaïkovski (1840-1893).

La Belle au bois dormant (1890). *Casse-Noisette* (1892). *Symphonie n° 6*, dite « *Pathétique* » (1893).

Giuseppe Verdi (1813-1901).

Aïda (1871). *Otello* (1887). *Falstaff* (1893). Quatre pièces sacrées (*Te Deum, Requiem, Ave Maria, Stabat mater*) (1889-1896).

Maurice Ravel rendit un éclatant hommage à Johann Strauss en lui dédiant sa Valse.

1881

● *12 mai.* Traité du Bardo qui établit le protectorat de la France sur la Tunisie.

● *4 septembre.* Élections législatives françaises et victoire républicaine.

1882

● *27 janvier.* Démission du ministère Gambetta.

● *28 mars.* Jules Ferry rend l'enseignement primaire obligatoire en France.

● *31 décembre.* Mort de Gambetta.

1883

● *24 août.* Mort du comte de Chambord, petit-fils de Charles X.

1884

● *21 mars.* Reconnaissance officielle des syndicats et du droit de grève.

● *27 juillet.* La loi Naquet rétablit le divorce.

1885

● *17 décembre.* Protectorat de la France sur Madagascar.

● *28 décembre.* Jules Grévy est réélu président de la République française.

1886

● *Janvier.* Le général Boulanger devient ministre de la Guerre.

1887

● *Mai.* Mise à l'écart du général Boulanger.

● *Décembre.* Démission de Jules Grévy, suite au scandale Wilson. Sadi Carnot lui succède.

1889

● *27 janvier.* Le général Boulanger est élu député.

● *6 mai.* Inauguration à Paris de l'Exposition universelle (33 millions de visiteurs) et de la tour Eiffel.

1891

● Suicide du général Boulanger sur la tombe de sa maîtresse, à Bruxelles.

1892

● Le scandale de Panama éclate ; plusieurs parlementaires sont compromis.

1894

● *24 juin.* Le président Carnot est assassiné à Lyon ; Jean Casimir-Perier lui succède.

● *15 octobre.* Début de l'affaire Dreyfus.

● *22 décembre.* Le capitaine Dreyfus, accusé d'espionnage, est condamné à la déportation à vie.

Le drame de Mayerling

Durant l'hiver 1888-1889, l'archiduc Rodolphe de Habsbourg, héritier du trône d'Autriche, fait la connaissance d'une jeune fille de 17 ans, la baronne Marie Vetsera ; lui-même est âgé de 30 ans. C'est le coup de foudre immédiat. Jusque-là, Rodolphe a mené une vie amoureuse agitée, délaissant son épouse, Stéphanie de Belgique, qui ne lui a pas donné d'héritier. Sur le plan politique, ses idées libérales et francophiles heurtent son père, l'empereur François-Joseph. Celui-ci voit d'un très mauvais œil la liaison de son fils avec Marie, d'autant que l'archiduc, tout à sa passion, envisage de divorcer pour épouser la jeune fille. Au cours d'une scène dramatique, François-Joseph somme Rodolphe de rompre avec Marie, et le jeune homme finit par se soumettre. Mais quand, quelques jours plus tard, Rodolphe se rend au pavillon de chasse de Mayerling, Marie l'accompagne. Le 30 janvier 1889 au matin, le valet de chambre de l'archiduc découvre deux cadavres : plutôt que de renoncer à leur amour, les deux amants se sont suicidés.

Le drame de Mayerling.

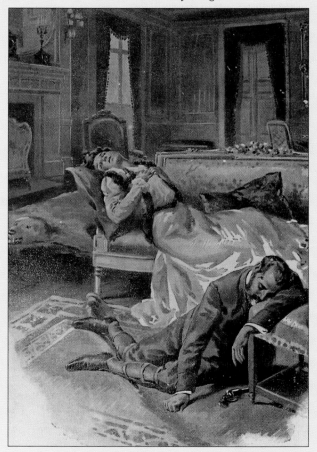

*Les funérailles de l'archiduc héritier Rodolphe,
disparu tragiquement.*

*L'impératrice Élisabeth fut assassinée
à Genève par un anarchiste.*

1895

- *Janvier.* Démission du président Casimir-Perier ; Félix Faure lui succède.
- *Septembre.* Création de la C.G.T.
- Création de l'Afrique-Occidentale française.

1898

- *13 janvier.* Émile Zola publie « J'accuse », où il affirme l'innocence de Dreyfus et dénonce le complot qui l'a envoyé au bagne. « L'Affaire » provoque dans tout le pays une violente agitation.
- *20 février.* Fondation de la Ligue des droits de l'homme pour défendre Dreyfus.
- *10 septembre.* Élisabeth de Wittelsbach, impératrice d'Autriche, est assassinée à Genève par un anarchiste italien du nom de Luccheni.

1899

- *Février.* Mort subite de Félix Faure ; Émile Loubet lui succède.
- *9 septembre.* Révision du procès Dreyfus. Bien que son innocence ne fasse plus aucun doute, le capitaine est condamné une nouvelle fois.
- *20 septembre.* Le gouvernement gracie Dreyfus, qui ne sera réhabilité qu'en 1906.

1900

- *15 avril.* Inauguration de l'Exposition universelle de Paris.

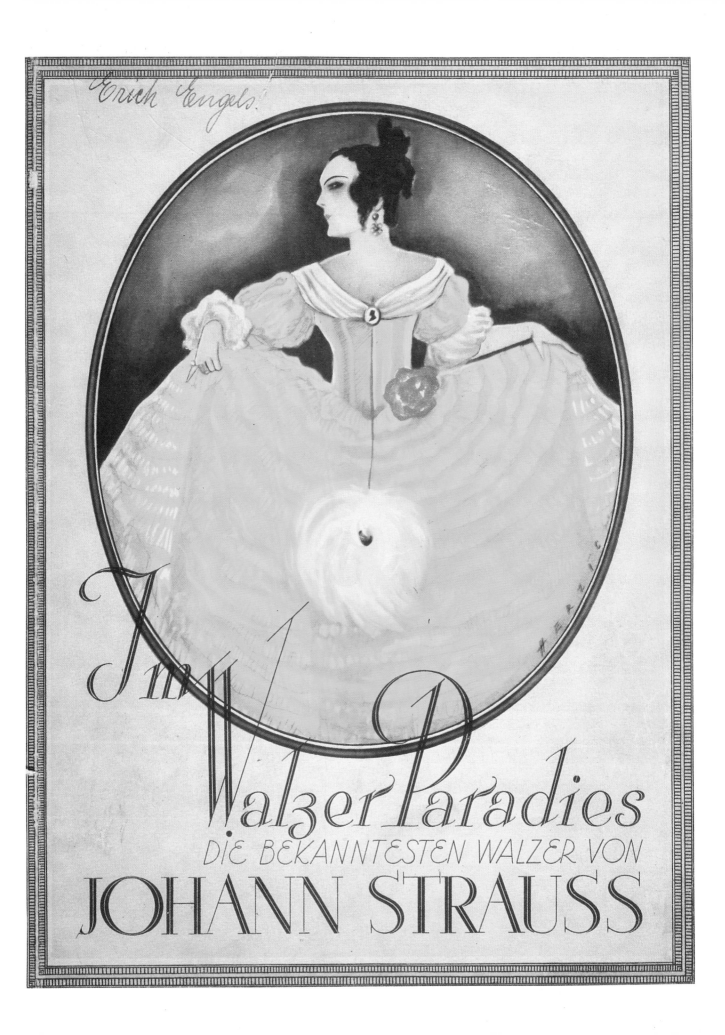

Walzer Paradies
DIE BEKANNTESTEN WALZER VON
JOHANN STRAUSS

Deux siècles se sont écoulés depuis la naissance de Johann Ier et un siècle depuis la mort de Johann II, mais le temps n'a rien ôté à la magie de leur musique. Il suffit de quelques mesures d'une de leurs valses pour qu'une irrésistible envie de danser s'empare des auditeurs. La musique des Strauss continue de faire tourner les cœurs et les corps sur un rythme à trois temps, semant à la ronde l'ivresse et le plaisir. Mais la pérennité des Strauss ne tient pas seulement à la joie de vivre qui émane de leurs partitions ; ils ont – surtout Johann fils – offert à la valse ses lettres de noblesse, en lui donnant souvent la richesse d'une symphonie. Par la diversité des thèmes, le rythme, et la profondeur de l'inspiration de leurs œuvres, ils ont rivalisé avec les plus grands musiciens de leur temps.

C'est pourquoi l'histoire de la valse se confond avec leur propre histoire, l'un et l'autre ayant mis leur génie au service de la musique qu'ils aimaient. On reste interdit devant l'abondance de leurs compositions : plus de deux cent cinquante pour Johann père, environ cinq cents pour Johann fils. Et encore, nous ne connaissons pas tout : un grand nombre de morceaux ont été perdus par la faute d'Eduard Strauss. Celui-ci, nous l'avons vu au cours de ce récit, a nourri envers son glorieux aîné une rancune grandissante. En 1907, il s'adresse secrètement à un fabricant de poêles à charbon, afin de connaître le prix « de la combustion de quelques centaines de kilos de papiers personnels ». Quelque temps plus tard, Eduard Strauss se présente, suivi d'une voiture de déménagement contenant les papiers en question. Et pendant cinq heures, assis devant le feu, il regarde se consumer les manuscrits de Johann, mais aussi de Joseph et de leur père…

Heureusement, les œuvres des Strauss n'ont pas cessé pour autant de courir le monde et d'inspirer d'autres musiciens. Qui dira ce que les Lehár, Kalman, Oscar Strauss ou Robert Stolz ont dû au glorieux exemple fourni par Strauss fils ? Maurice Ravel, qui devait composer ce ravissant poème chorégraphique tout simplement intitulé *La Valse*, savait bien, quant à lui, ce qu'il devait au roi de la valse, lorsqu'il écrivait à un ami, en 1906 : « Ce n'est pas subtil, ce que j'entreprends pour le moment, une grande valse, une manière d'hommage à la mémoire du grand Strauss, pas Richard, l'autre, Johann. Vous savez mon intense sympathie pour ces rythmes admirables et que j'estime la joie de vivre exprimée par la danse bien plus profonde que le puritanisme franckiste. Par exemple, je sais bien ce qui m'attend auprès des adeptes de ce néochristianisme, mais ça m'est égal. »

Du haut des cieux, où il doit diriger la valse des séraphins, Johann II a sûrement frémi de plaisir : sa musique n'a pas fini de réjouir les hommes.

Transfiguration céleste de Johann Strauss entouré de quelques-uns de ses plus illustres confrères.

CONTENU DU CD
LA VALSE VIENNOISE - 984988-2

1. Johann STRAUSS (1825-1899)
    Morgenblätter - Les Feuilles du matin,
    Op. 729 (3'02)
    Orchestre du Volksoper de Vienne
    Dir. : Max Schönherr
    (P) 1974 Turicaphon SA, Suisse

2. Johann STRAUSS (1825-1899)
    Neue Pizzicato-Polka, Op. 449 (4'23)
    Orchestre de Philadelphie
    Dir. : Eugene Ormandy
    (P) 1962 Sony Music Entertainment Inc.

3. Johann STRAUSS (1825-1899)
    Sous le tonnerre et les éclairs, polka rapide,
    Op. 324 (3'04)
    Orchestre de Philadelphie
    Dir. : Eugene Ormandy
    (P) 1962 Sony Music Entertainment Inc.

4. Johann STRAUSS (1825-1899)
    Voix du printemps, Op. 410 (5'28)
    Orchestre de Philadelphie
    Dir. : Eugene Ormandy
    (P) 1962 Sony Music Entertainment Inc.

5. Johann STRAUSS (1825-1899)
    A la chasse, Op. 373 (2'23)
    Orchestre de Philadelphie
    Dir. : Eugene Ormandy
    (P) 1962 Sony Music Entertainment Inc.

6. Johann STRAUSS (1825-1899)
    Sang viennois, Op. 354 (7'03)
    Orchestre de Philadelphie
    Dir. : Eugene Ormandy
    (P) 1962 Sony Music Entertainment Inc.

7. Johann STRAUSS père (1804-1849)
    Gitana-Galopp, Op. 108 (2'38)
    Ensemble Wien (Paul Guggenberger, violon -
    Günter Seifert, violon- Peter Götzel, viole -
    Josef Pitzek, contrebasse)
    (P) 1992 Sony Classical GmbH

8. Johann STRAUSS (1825-1899)
    *Légendes de la forêt viennoise -
    G'schichten aus dem Wienerwald*, Op. 235 (11'59)
    Orchestre symphonique de Vienne
    Dir. : Robert Stolz
    (P) 1971 Turicaphon SA, Suisse

9. Johann STRAUSS (1825-1899)
    Roses du Sud, Op. 388 (8'44)
    Orchestre de Philadelphie
    Dir. : Eugene Ormandy
    (P) 1962 Sony Music Entertainment Inc.

10. Johann STRAUSS (1825-1899)
    Tritsch-Tratsch-Polka, Op. 214 (2'37)
    Orchestre de Philadelphie
    Dir. : Eugene Ormandy
    (P) 1962 Sony Music Entertainment Inc.

11. Josef LANNER (1801-1843)
    Die Schönbrunner - Les Gens de Schönbrunn,
    Op. 200 (6'08)
    Orchestre de l'Opéra national de Vienne
    Dir. : Josef Drexler
    (P) 1975 Turicaphon SA, Suisse

12. Johann STRAUSS (1825-1899)
    Aimer, boire et chanter, Op. 333 (6'06)
    Orchestre de Philadelphie
    Dir. : Eugene Ormandy
    (P) 1962 Sony Music Entertainment Inc.

13. Johann STRAUSS (1825-1899)
    La Marche de Radetzky - Radetzky Marsch,
    Op. 228 (2'36)
    Orchestre symphonique de Vienne
    Dir. : Robert Stolz
    (P) 1972 Turicaphon SA, Suisse

14. Johann STRAUSS (1825-1899)
    *Le Beau Danube bleu -
    An der schönen blauen Donau*, Op. 314 (9'40)
    Orchestre symphonique de Vienne
    Dir. : Robert Stolz
    (P) 1973 Turicaphon SA, Suisse

Durée totale : 76'06
Avec l'aimable autorisation de Turicaphon SA.

CN 1996 Sony Music Entertainment (France) SA - © 1996 SOLAR

ORIGINE DES DOCUMENTS PHOTOGRAPHIQUES

Artephot/O'Hana, A. Meyer, Sloan, Nimatallah : p. 5, 5bis, 13, 20, 38A, 50, 52, 54H, 54B, 56, 57, 67, 68, 74-75, 77, 78, 80, 83H, 84, 87B. AKG photo : p. 9, 17, 18, 26-27, 35, 37H, 39H, 41, 47, 48, 51D, 53, 58-59, 61, 65G, 65D, 82, 83B, 87A, 90, 91. Roger-Viollet : p. 7, 24, 72, 88, 89H. Boston Public Library : p. 63. Edimédia : p. 42-43, 44, 49, 71A, 89B. Österreichische Nationalbibliotek : p. 21, 31, 32, 34, 36, 46, 51G, 60, 66, 69BG, 76, 79, 85. Photothèque des Musées de la Ville de Paris : p. 29, 73. Col. Laurent Fraison/José-Maria Mora : p. 70H. Col. particulière : p. 6, 8, 14, 15, 23, 37B, 38B, 39BD, 39BG, 55HG, 55HD, 55B, 64, 69D, 70B, 71BDG, 81, 86G, 86H, 86D. D.R. : p. 10-11, 22H, 22BG, 22BD, 25, 30, 33, 40, 63. Couverture : Artephot/A. Meyer.

Imprimé en Italie par GEP, Crémone